JN111464

地産外商

ちさん がいしょう

～起業から成功へ突き進む

「逆転」の発想

株式会社オネスト

代表取締役社長　石碕 修二

「あくなき創造への挑戦」

　創業からの経営理念である「あくなき創造への挑戦」は、製品やサービスを創出する重要性と、製品やサービスを必要とする市場を創り出すという考え方を表現したものである。

あくなき創造への挑戦

このシンボルマークは
あくなき創造へ挑戦を続けるオネストの姿を表現したものです。
造形的には、帆船をモチーフにし、グローバル社会の海原に帆をはり
力強く前進する行動力を表現しています。
色調としてのブルーは、時代のニーズを冷静に判断し、
もの作りに際しての正確さを表現しています。
アクセントとしての白いラインは、創業者の強い意志を表現しています。

創業25周年を迎えた2020年に完成したオネストの新社屋。石碕修二社長が目指す「創造が未来をひらく」を経営スローガンに、新しい時代に向けてスタートを切った＝島根県松江市、オネスト本社

エントランスにはイメージカラーのスカイブルーの壁と、オネストのロゴが目に入る＝島根県松江市の本社

静寂な空間で製品開発に取り組むシステムエンジニア。インド人エンジニア（左手前から２人目と右手前）もシステムを組む＝島根県松江市、ソフト研究開発センター

東京オフィスと結んだWeb会議。新型コロナ禍を受けて大いに役立った＝島根県松江市、オネスト本社

オネストの業績を伸長させた主力製品の「調達業務改革　Web-EDI e商買EX」。これからも、次々と新たな開発製品を送り出す

22年連続で出展している設計・製造ソリューション展。継続したことがオネスト成長の大きな原動力になっている＝2018年6月、東京ビッグサイト

第4回日本IT経営大賞の日本商工会議所会頭賞を受賞。ITによる経営合理化や新規ビジネス創出などに成果を挙げた中堅・中小企業を対象に、将来性がある企業として認定された。右が筆者。左は故山口信夫会頭＝2003年、東京都内

母校である早稲田大学の創立125周年記念でOB会の松江稲門会メンバーが記念撮影（最前列右端が筆者、当時、早大校友会島根県支部幹事長、現在副支部長兼松江稲門会長）＝2007年、松江市内

島根経済同友会の会員でもある。平成24年度定時総会で、溝口善兵衛知事（当時）らと筆者（右手前）＝松江市内のホテル

「出雲大社大遷宮記念奉祝囲碁大会」で対局する筆者（左）。囲碁は高校生の時に
はまって、今も趣味で対局を楽しみ、島根での世界大会に協賛をしている＝2013
年、出雲市の出雲大社

中国地域ニュービジネス協議会の中国5県の会長・副会長での記念撮影。現在、同協議会の副会長を務める筆者（後列左端）＝2018年、松江市の堀川遊覧

スポーツ振興支援の一環で、オネストはプロバスケットボールチーム「スサノオ
マジック」のアウェー・スポンサーになっている

目　次

第6章　世界を襲った新型コロナと戦う

第7章　幼少期～学生時代

最終章　「やりゃ、できる！」

〈オネストはこんな会社〉

地方の疲弊は、インフラ格差だけが原因ではない
目覚めよ、自社製品開発魂！

　今日の日本経済の成長は、戦後復興の象徴として1964年に東京で開かれた東京五輪が契機でした。その中心地となったのは関東から九州に至る太平洋工業ベルト地帯で、産業拠点はもとより、人の往来や物流を支える鉄道、道路、空港、港湾などの主要インフラもこの地帯を中心に整備が進みました。そこから外れた島根県の現状はどうでしょうか。今でも新幹線の開通はおろか、在来鉄道の多くが単線で、国道や高速道路も大半が対向二車線であるなど、インフラの整備は極めて遅れています。

　あらゆる事柄で東京一極集中が加速する今日、こうした格差のさらなる拡大が、地元企業の活動はもとより島根県の様々な発展をさらに難しくしていることは否定できませんが、果たして問題はそれだけなのでしょうか。

　戦後の日本経済は世界に類を見ない高度な成長を果たし、今やマーケットは世界各地に広がり、ビジネスを支えるインフラもITにシフトしています。こうした変化を時代の変遷とともに的確に読み解き、地域間格差を克服して新たな商機を見出している地方企業は少なくありません。

　歴史や文化を大切にし、それを誇りとする島根の県民性は、かけがえのない財産です。しかしながら、グローバルが

常態化する今日のビジネスを考えると、自らの知恵でハンディキャップを克服し、地元はもとより国内外のマーケットに目を向けてチャレンジする精神が何より大切に思えてなりません。

　私は、島根県出雲市で生まれ育った生粋の島根県民です。高校を卒業して情報通信大手の富士通本社に入社し、POSの商品開発に携わったのをきっかけにITエンジニアとしてのキャリアをスタートしました。その後、思うところがあり早稲田大学に入学し、27歳の時に島根県にＵターンし起業を目指しました。

　帰省した当時は、金融機関や自治体などへの就職を勧められたこともありましたが、社会を動かし始めていたITの将来に高い可能性を感じていたことと、その当時でも毎年3,000人近い人口が流出し過疎化が深刻化している島根県の発展に実業家として貢献したいという強い思いから、IT関連企業で技術や企画力を磨き、満を持して弊社を立ち上げました。

　創業当時は、「大都市圏とはハンディキャップがあり戦えない」「（IT産業の発展は）島根県ではとても無理だ」などのご指摘を沢山いただきましたが、時空を超えて社会を繋ぐIT技術の躍進を目の当たりにしてきたそれまでのキャリアに照らしても、そうは思えませんでした。

　確かに、多くの人材が集積する大都市の企業は、発想力

や企画力が豊かかも知れません。しかし、「社会が必要とするツールを生み出せば、地方企業でも必ず活路はある。それがIT産業の特色で利点だ」との信念の下、「あくなき創造への挑戦」をスローガンに、比類のないソフトウエアパッケージの開発とマーケットの開拓に邁進してきました。

その結果、今や国内外の33,000社の製造関連業者様にご利用頂いております当社オリジナルソフト「調達業務改革Web-EDI e商買」を生み出すことができました。お陰様で、創業から26期連続の黒字経営を続けることができ、その間には、中国地域ニュービジネス大賞特別賞や日本IT経営大賞日本商工会議所会頭賞などの栄に浴することもでき、島根県の産業界に新たな一石を投じることができたのではないかと自負しております。

新しい産業分野に挑んでみて感じることは、歴史や伝統を重んじる地方では、「家業」としての事業継続を志向している企業が多いと言うことです。こうした営みの中で培われる技術や製品も少なくはありませんが、半面で「雇用の拡大」には繋がりにくいのが現実です。

人口減少は過去にも増して深刻化していますが、お陰様で弊社では、多くの若者が国内外の沢山のお客様に接しながら働いています。中には、海外からスタッフに加わってくれた若者もおり、地方に拠点を構えながら、社員が一丸となって、国内外に通用するオリジナル製品の開発や営業

に果敢に挑んでいます。

　こうした姿を目の当たりにし、島根の産業振興は、地元企業や誘致企業を問わず「製品開発」の視点を持つことが重要だと再認識するとともに、そのキーワードは、島根で製造開発して国内外から外貨を稼ぐ「地産外商」であると確信しています。

　私は、社の理念や目標を共有してくれる仲間（役職員）に感謝しつつ、常日頃から「松江で働く若者たちに、楽しい遊び場をつくってあげたい」とも考えています。島根県の将来を担う若者たちに、仕事だけで集まってもらうことは困難です。地元企業は、若者に働く場を提供するだけでなく、家族を持ち、子供を育て、島根県ならではの豊かな毎日を楽しめる生活環境を整えてこそ、存在価値があると考えます。

　本書では、創業27年目を迎えた株式会社オネストを率いる私が、製品開発や市場開拓と格闘した歩みや、ふるさと島根県の産業振興や地域振興への思いを自分なりにまとめて上梓致しました。次代を担う起業家や地方の産業振興の一助になれば望外の喜びです。

株式会社　オネスト

代表取締役　石碕　修二

第1章

オネスト創業

▌安定第一　このままでいいのか！

　人口と同じく、IT過疎県の島根。あえてこの地で起業したのは、第8章で詳しく述べるが、過疎地域のトップランナーともいえる島根県の実情があった。若者は高校や大学を卒業すると都会の大手企業に就職し、都会の大学に進学すればUターンすることなく、そのまま都会で就職した。地元の大学で学んでも、これといった企業が少ないため就職先は役所か金融機関くらいで、ほとんどが県外に流れた。地元企業は家族経営が多く、経営者も「暖簾を守ればよく、新規事業はしない」という旧態依然とした意識が強く、魅力に乏しかった。こういう環境だけに、若者は出て行くだけで流入が少なく、人口減少に歯止めがかからなかった。「何とかしなければ」という思いがあった。

　「過密」と「過疎」。昭和30～40年代、人口が急激に増える大都市と、逆に流出が続く地方を対比する言葉として使われ、過疎の代名詞だったのが島根。さまざまな文献や書籍に取り上げられ、大学の研究チームが島根に乗り込んで実態を調査・分析することもあった。

　若者の流出だけにとどまらず、挙家離村と呼ばれるように中山間地域では、家を捨てて一家全員が都会に出て行く光景も相次いだ。農業だけでは生活ができず、かといって

働き場がなかった。さらには冬場の豪雪による孤立、周辺に買い物をする商店がないなど不便な生活に見切りをつけて後ろ髪をひかれる思いで故郷を去っていった。

▌ITで山陰に「活路」を

　高速道路や高速鉄道などの交通インフラが未整備のため、大きな工場でなくても、通信機能さえあればアイデア、技術で勝負できるIT産業で島根に活気を取り戻そうという一念で起業を考えた。島根県松江市を米国のシリコンバレーのようなIT産業の集積地に育てたいという壮大な夢物語も描いていた。

　「田舎では何もできない」「新しいことをしなくても、代々続く家業を守っていけばいい」。島根ではネガティブな言葉ばかりが叫ばれ、「やればできる」「若者だって定住する」というポジティブな言葉はかき消されてきた。

　「21世紀の主役は島根では数が少ないソフトウエアメーカー。これで勝負するぞ」

　冷静な分析を基に、強い決意をした。学生時代からIT産業に携わってきただけに、何とかしなければという純粋な気持ち、さらには母校・早稲田大学の「進取の精神」が血

潮となって体に流れていた。島根のためにITがメイン産業になると信じ、めらめらとした情熱が、沸き立つ八雲のように、むくむくと頭をもたげてきた。

　「やるしかない」。IT事業には自信があった。大容量の高速通信網は必要だが、交通などのインフラ環境に左右されない業種だ。文化と歴史にすがり、新しいものを受け入れようとせず、しかも芽生えにくい出雲地方から、文化や歴史とは真逆の最先端分野の企業を育てようと決意した。全国さらには世界に羽ばたけば、その存在価値がさらに高まるという一念で、公務員試験や金融機関への就職を勧める知人や親族など周囲の反対を振り切っての挑戦だった。

▎島根で製造業は育ちにくい

　オネストを起業した1990年代の島根の産業構造は、第1次（農林水産）が15.6％（2015年度8.5％）、第2次（鉱業、製造、建設）が31.4％（24.0％）、第3次（サービス）が52.9％（67.4％）。製造業は行政の努力によって誘致された工場が多く、古くから地元にある工場や起業家によるものは零細規模が中心で、しかも誘致工場からの下請けが中心だった。ましてや、全国に打って出る島根県内の地元資本の会社は小松電機産業（松江市）、ジュンテンドー（益田市）

など数えるほどだった。

　起業当時、交通インフラは、陰陽を結ぶ中国横断道広島浜田線が1991年に全線開通していたものの、尾道松江線、山陰道は工事中だった。93年の道路舗装率は一般国道の場合100％だが、都道府県道、市町村道を含めると72.7％で、全国33位（1992年）だった。

　島根県内は少子高齢化が進んで従業員の確保が難しくなってきており、都会地から製造品の原材料を運び込み、加工品を都会地へ運び出すのに不可欠な4車線などの道路整備が遅れていた。新幹線は未整備どころかJRの山陰本線も伯備線も単線で、大きな港湾は浜田、境港しかないという状況。さらには工場建設のための広大な敷地、多額の資金、大量の水や労働力が必要なことから、製造業の伸展は難しいと感じていた。

　島根県内の製造品出荷額こそ1991年の1兆320億円から、2015年には1兆960億円に増加したが、事業所数、従業員数の大幅な減少は、まさに予測が的中したといえる。

▍ソフトウエアメーカー以外の道はなし

　メインの製造業に期待が持てないという中で、松江に適した事業として考えたIT。目指したのはソフトウエアの完成品をつくり、全国さらには世界で展開することだった。

艱難辛苦の道ながら、唯一無二の選択という確信があった。

　IT産業といっても、ソフトウエアの開発から、制作の業務委託、製品の販売などさまざまで、地方では製造の下請けとか、販売が中心で、オリジナル製品そのものを開発・販売する企業はまれだった。起業当時、私の知る限りでは島根には１社しかなかった。

　しかし、島根県内の販売では人口が少ないため、大都市とは太刀打ちできない。仮に人口の１％が購入する製品なら100万人で１万個、ところが1000万人なら10万個さばける。ましてや人口は減少しており、事業として伸びていかないのは明らかだった。

　メジャー、ベンチャーに限らず、「開発した製品に独自性があれば、どこの、だれとでも勝負できる」と踏み、私はこれに賭けた。

▎七細工は八貧乏

　ソフトウエアの開発・販売という一点集中主義にこだわるのには、父の教えがあった。農業、会社員、町議会議員などさまざまな仕事に携わり、小説家として私小説にまで挑戦していた父。その人生を振り返る中で、「七細工は八貧乏」と器用貧乏になるのを戒め、ものごとは一つに絞ってやるように薫育してくれた。

自らが持つ強みに特化して伸ばしていくという発想は、横並びという日本企業的な考えとは異なり、米国のシリコンバレーにある新興企業に多く見られた。群雄割拠の地域だけに、一点突破による成功例が多かった。

▌社名への想い

　HONEST（オネスト）の創業は26年前にさかのぼる。1995（平成7）年4月20日、松江市で起業した。役員3人、社員5人の計8人での船出だった。

　人々が自由にネットワークでつながるのを願いHUMAN・OPEN・NETWORK・SYSTEM・TECHNOLOGY（ヒューマン・オープン・ネットワーク・システム・テクノロジー）の頭文字をとって社名をHONESTとした。

　この社名には、深い理由がある。かつて、銀行のシステム開発で、2社のシステムをつなぐ際、クローズされた手順か標準の手順かの選択で、クローズされた手順を選択して苦労したことがあった。その反省からオープン（開かれた）なネットワーク（つながり）、システム（仕組み）と、ヒューマン（人間）なネットワークを構築するテクノロジー（技術）を備えた会社にしようとの思いでネーミングした。研究開発、営業の両面で人々が支え合う開かれた会社となることを願った。

創業当時のオネストの社員＝1998年、島根県松江市の本社

　偶然にも、英語のHONESTは、日本語で「誠実な」といった意味を持ち、社の掲げる目標に最適なネーミングだった。

▌資金調達

　「2000万円、お願いできますか」

　設立当初の資本金2000万円は、取引先の経営者で、ビジネス上の信頼を得て、親しくしていただいている通称「エンゼル」と呼ばれる企業投資家にお願いした。為替レートが１ドル80円という超円高のときだった。

　起業の際の資金は、日本では金融機関に頼むのが一般的だが、米国では、投資家の「エンゼル」、成長の可能性が高い新しい企業を無担保、無抵当で投資する「ベンチャーキャ

ピタル」、新興成長企業を対象にした株式「ナスダック」(ナスダック・ジャパンは2001年にようやく立ち上がった)などベンチャーにとって、利用しやすい調達方法が整っていた。失敗しても「チャプターイレブン」という破産法があり、車と家は没収されないことから再度起業に挑戦することが可能だ。日本は一度失敗すれば全てを失って再起不能になることが多いが、米国は、七転び八起きのダルマのように、何度も何度も挑戦する野心家が多い。

オネストのオーナーは「上場する企業を育てたい」との夢を描き、常々IT企業でなければ上場が難しいと考えておられた。イオンやクロネコヤマトが積極的に物流システムなどにITを採用して伸展し、国内のトップ企業に成長していた状況も判断材料にされたようだ。

後に触れるが、私には「松江に動物園などアミューズメント施設を造る」という夢があり、私の夢とも一致していた。海のものとも山のものとも分からない会社に「ハイリスク」を背負っていただいた恩に報いなければならない。そのためにも、「ハイリターン」の利益を生み出す企業に育てなければ、と誓った。現実問題として資金調達に不安があっただけに、オーナーには非常に感謝し、今でも経営の相談に乗ってもらっている。

以前勤務していた日立の技術協力や、システム開発など

で関わらせてもらった山陰合同銀行、島根銀行の融資もありがたかった。2年目は、地元銀行系列のベンチャーキャピタルからも出資していただいた。設立されたばかりで、わが社が松江市内の第1号となった。

▍緊急入院

起業した1995年といえば、バブルが崩壊した後で経済が立ち直っておらず、1月に発生した阪神淡路大震災の復興も急がれていた。私自身も厄年の40歳。4月20日の創業前後に無理をしたのがたたり、慢性膵炎が悪化して8月5日から2カ月間の入院を余儀なくされた。起業したばかりで、経営者の姿が見えなくなると変な噂が立つため、社員にかん口令をひいた。スタートが最も気になるはずのエンゼル投資家にも知らせないで、誰も見舞いに来させないほどに徹底した。

入院から2週間、一滴の水も飲めず、点滴だけの治療を受けるなど、退院のときは体重が12キロも減っていた。しかし、精神的にはしっかりしており、ベッドの上で仕事の指揮を執り、経理からは毎日、帳簿報告を受けた。運転資金の心配はなかったが、固定費で出ていく社員5人の給与の支払いだけが不安だった。運がいいというか、たまたま入院の直前に島根銀行から600万円の融資を受けていたた

め、助かった。

　病気といえば、55歳だった2010年の正月3日、父が亡くなった日に狭心症の施術を受け、カテーテルを通し、ステント2本を入れた。この状態で、5日の通夜、6日の葬儀を行った。兄は東京で暮らしており、次男の私が喪主を務めた。島根県出雲市佐田町の底冷えのする山間地で、近所へお礼の挨拶に回り、会社のある松江では弔問していただいた取引先を回った。

　退院直後の無理が重なり、再入院を余儀なくされた。今は、ステント2本を入れたままだが安定しており、不安はない。

　この二つの大きな病気の経験は、社員とその家族を預かる経営者として、健康に留意しなければならない教訓となっている。経営面での失敗は、ほとんど記憶にないが、あえて言えば病気をしたことが失敗なのかもしれない。

▌初年度から黒字

　起業したばかりの会社は運転資金のキャッシュフローが必要で、ソフトウエアの開発に注力する一方、運転資金を生み出すために、付加価値の高い米国・アップル社のパソコンを販売した。県庁がパソコンを導入する際、入札で落札して大量に納めた。これで大きく息をついた。

創業当初、データ入力処理をする社員＝島根県松江市の本社

　アップルは、他社製品より高価だったが、性能がよく、デザインも優れていて、県庁所在地の松江市には病院、デザインオフィスや印刷業者が多く、高機能を求める企業やインテリ層に人気があった。

　この販売実績は、金融機関から大きな信用を得た。金融機関は通常3期目くらいから行う融資を、立ち上げたばかりで先が読めないのにも関わらず躊躇なくしてくれた。事業を拡大するため、創業の翌年にはM&A（企業の合併・買収）により、以前勤務していた会社の営業権を買収し、社員も雇用した。資本金も2倍の4000万円に増資した。

　アップルのパソコンは利幅も大きく、起業から数年は決算が赤字になる企業が多い中、1期目から黒字となった。

第2章

基盤固め

▌成長の土台づくり

　企業の経営は、慈善団体ではない。利益を出さなければ
ならない。全国展開できるソフトウエアが、いとも簡単に
生み出せるはずはなく、売り上げを確保し、伸ばすために、
さまざまな事業を行った。とにかく、年に1本は新しいソ
フトを開発するように心がけてきた。また、人件費もバカ
にならないことから、1年目から私がコンピューターなど
の仕入れと営業に徹し、社員数人に開発を任せた。

　「私の昇給分を使ってください」

　創業に加わった社員の1人が、昇給する2万円分を営業
活動に使ってほしいと申し入れてきた。かつて私が勤務し
ていた日立の協力会社の後輩だった。1人目の赤ちゃんが
生まれたばかりで、生活費が必要なときにも関わらず、オ
ネストを大きくしたいという不退転の覚悟による申し出
だった。この心意気に、「従業員あっての会社だ」とあらた
めて肝に銘じ、営業に全精力を注いだ。
　余談だが、彼は創業メンバーの社員であり、現在金融シ
ステム開発の部門長を務めている高見篤直である。

　囲碁の世界では、全体を俯瞰的に見ながら、小さなこと

から細心の注意を払って実践する「着眼大局、着手小局」という言葉がよく使われる。英語では「Think Globally, Act Locally（シンク・グローバリー、アクト・ローカリー）」だが、経営も同じで、少しずつ大きくしていかなければならない。

　実際の取り組みとしては、創業の1995年には日立中国ソフトウエア（現日立ソリューションズ西日本）と「人事・給与システム」開発の技術提携を結び、共同開発に成功した。97年には大手事務機メーカー・キヤノンとメニュー画面を設けた複雑なDVDビデオを作る「ハイビジョン・オーサリング・システム」の開発技術提携を結び、共同販売を行った。98年にはパソコンの修理、トラブルの解消を行う「パソコンレスキュー事業」を始めた。

　このパソコンレスキュー事業の補助金を受けるコンペで、審査員だったマクドナルドの日本法人社長・藤田伝氏が「パソコンレスキュー事業」を絶賛してくれた。藤田氏は「ヘリコプターを導入して、マクドナルドがパソコンで困ったら松江から全国に飛んで来てくれると助かる」などと熱望された。しかし、ヘリコプターを購入するには莫大なコストがかかるうえ、同じようなシステムの大手企業が出現したため、無理な競争は避けようと手を引いた。このときに、藤田氏は大実業家だと実感した。結局、事業の実行までにはいたらなかったが、システムのメンテナンスの

重要性をこの時、再認識し、現在に活かしている。

　1999年には主力製品となる発注型Web-EDIシステム「e商買」の開発に向け「eコマース事業」に着手した。この「e商買」は、まだ卵でしかなく、お金儲けができないため、並行して多くの事業を手がけた。

　主な開発は、起業前から信頼関係を築いていた金融機関だった。2001年には、地方銀行3行（山陰合同、みちのく、肥後）の共同センター化プロジェクトの開発業務に参画した。さらに、地方銀行のオープンシステム化を受託し、04年に納入した。全国15の地方銀行によるNTTデータ地銀共

金融機関のATMの開発に携わる社員

同センターへの参加プロジェクトで開発業務に参画した。

　2004年は行政からの受注もあり、日立システムズの下で島根県安来市の電算合併プロジェクトの開発業務に関わり、06年に完了した。08年には日立製作所と連携し、島根県の「総合防災情報システム」を納入し、09年にも連携して「環境放射線情報システム」を手がけた。県との連携では、「組込みソフトエンジニア育成研修」を実施するなど、技術者の育成にも努めてきた。このエンジニア育成事業は、今日まで島根県情報産業協会に引き継がれている。

　当初から、地元金融機関、地方公共団体、大手製造業などパワーユーザーが確保できたことが、経営を軌道に乗せ、利益の確保につながった。創業年の第1期から黒字経営を続けているが、3期目くらいから5000万円ほどの経常利益を出すようになってきた。納税は企業として守らなければならない最低限の義務と認識している。

　印象に残るシステム開発では、2002年に地元の金融機関から直接受託した鳥取県の「財務会計等の連携システム」がある。自動車税等を徴収するシステムであり、当時としては金額の大きい1億円の受注だった。行政と銀行のシステムが異なっていたため、難産だった。しかも、大手企業との競合となった。しかし、大型で高額な汎用コンピュー

ターを、合理的な発想で、小型で高性能なものに構築することをプレゼンテーションし、受注に成功した。

　今でこそサーバーは世界共通といえるが、受注先の地元金融機関に対して「小型は電気代が安く、場所を取らない。空いたスペースは他の用途に活用できる」と、新システムのメリットを強調したのが奏功したようだ。この考えに賛同いただいた部長はのちに役員に昇格された。このとき「ローカル企業でも、大手と伍してビジネスができる」という自信を得た。

▎農業にもITを活用

　2004年には、外国産の牛肉を国産と偽るなど産地偽装が社会問題化するなか、真面目に生産、育成している農家を保護し、成長させるための事業にも取り組んだ。

　「農産物トレーサビリティー（生産履歴）システムを開発してほしい」

　故郷の島根県出雲市佐田町にあるNPO法人まめだがネットからの依頼だった。故郷からの要請に胸を熱くしながら、タブレット端末から農産品の生産者名、使用した肥料、栽培地域、栽培期間などが検索できるシステムを構築

した。逆に生産者は自宅に設置した端末で、販売数量が分かることから、売れ筋の把握や追加販売なども可能になった。消費者に、生産履歴や生産者の顔が分かるようにした。

「ITは都市部には便利だが中山間地域では無縁だ」

こんな言葉を何度も聞いたが、こういう間違った認識を覆すのにも貢献したといえる。ITこそ、田舎を活性化させるツールで、当時はまだ「走り」だったが、近年は他の第１次産業の林業では、イノシシの生息状況などの把握に生かされている。水産業では、2020年度から、沖合底引き網漁業で、海上の漁業者と、島根県水産技術センターを専用のタブレット端末で結び、魚種ごとの分布情報をやりとりできる仕組みの構築が始まった。今後、ますますAI（人工知能）を活用したIT事業が増えてくる、と確信している。

▌Ruby活用への期待

島根県松江市在住のまつもとゆきひろ氏が開発し、オネスト起業の1995年に公開されたプログラミング言語「Ruby（ルビー）」。使いやすい機能で、オープンソースになっていることから、他の人が無料で使って自前のソフトウエアに組み込めるなど、利用者が国内外に広がっている。

松江市では、ルビーを軸にITエンジニアの拠点作りを進めており、2006年に「松江オープンソースラボ」を開設された。誰でも自由に研究会を開いたり、プロジェクトに取り組んだりしている。

　ルビーに関する国際会議（Ruby World Conference）も毎年、松江で開かれ、まつもと氏の講演をはじめ、さまざまな内容が議論されている。IT企業による子ども向けのプログラミング教室も開催されている。文部科学省は、必修科目としてカリキュラムに入れる方針を出しており、前取りした形だ。

　毎年20人近いITエンジニアが松江に移住してくるが、プログラミングが学校教育にも取り入れられているということで、子どもも一緒に家族で移り住み、起業する人もいる。

　ITによる地域活性化は私の願いでもあり、「Rubyの聖地」を目指す松江市からの要請で、わが社も2009年にはルビーを使った「児童クラブ利用料システム」などを開発した。ルビーの活用では、10年に「造林補助金システム」、「恩給システム」、「麻薬免許システム」を県に納めた。

　プログラミング言語はメジャーからマイナーまで非常に数が多い。ソフトウエアの内容によって、向き不向きがあるが、可能な限りルビーを使用して、聖地づくりの支援をしたいと考えている。

2020年４月からは、松江工業高等専門学校（島根県松江市）がRubyを基に17年に開発されたmruby/c（エムルビースラッシュシー）を使った授業を始めた。しまねソフト研究開発センターが手がけたプログラミング言語で、センサーなどの小型機器にマイクロコンピューターを組み込む際のプログラミングに使われている。IoT（モノのインターネット）^{※1}のデータ収集にはマイコンが多く使われることから、中身の濃い授業になるものと期待を寄せている。

　一方、産業振興の視点について考えた場合、Rubyはアプリケーションソフトの開発用の一言語であることを考えれば、Rubyで制作されたソフトやサービスを創出することが重要である。

▍人材の確保と育成

　企業の成長で不可欠なのが、「人」として伸ばしていく「人材の確保・育成」で、職能の向上などのスキルアップ以上に重視している。その根底にあるのが、自ら考えて行動する「自立」と「自律」。従来から、何の疑いもなく続けられている「当たり前」を見直すことも欠かせない。与

※1 **IoT**／「Internet of Things」（モノのインターネットの意味）の略で、「アイ・オー・ティー」と読む。家電などさまざまなモノがネットに接続され新サービスが生まれる次世代技術。

えられたことだけをこなす無気力で、受け身の姿勢ではなく、自身が発想して、実行する力をつけなければ、何が起こるか想像もつかない21世紀を生き残ることができない。

東京にある超名門の公立麹町中学校の工藤勇一校長が出版した「学校の『当たり前』をやめた。」を興味深く読んだ。宿題を出さず、中間・期末テストを止め、クラス担任を廃止するなどの英断を行った。公立中学では考えられない取り組みだが、要は実社会で生きていける人材を育てることを最重点の目標にしている。

目的と手段を履き違えないことも大切なポイントになっている。例えば、テストは学習内容の習熟度をみるという目的のための手段だが、テストの実施そのものが目的になってしまっていることが多い。何も考えないで問題を作るのではなく、麹町中学では生徒たちがじっくり考えながら解答する、身につく問題づくりに努めている。

2018年度の２学期からは、全生徒にAI型タブレット「キュビナ」を導入した。究極の習熟度別学習といえ、１人１人の学習能力に応じて内容が対応することから、１年生が３年生の問題を解くことができる。逆に、苦手な分野は３年生が１年生、あるいは小学生のときに学習した内容を復習することができる。同校では、ほぼ全生徒が１年生のうちに３年生の学習を終えてしまうという。

一般的な横並び学習だと、理解できてもできなくても教

科書の同じページを開く。知っていることをもう一度やるとか、あるいはまったく理解できないという無駄な時間を過ごすことになる。タブレットでどんどん難しい問題に挑戦するとか、弱点となっている学習内容を復習すれば、個人の習熟レベルに合わせて学ぶことになる。AIが各自の習熟度を解析し、レベルに合った問題を出題しており、難しい問題が解けたり、弱点がクリアできれば自信につながる。

　今、教育と技術を掛け合わせた造語「EdTech（エドテック）」が注目されている。大手学習・教材会社も、校務や学習の支援、学習管理などのサービスに注力し、米国の巨大IT企業「GAFA[※2]（グーグル、アップル、フェイスブック、アマゾン）」も日本の市場に乗り込んでいる。文部科学省が、近い将来、全国の小中学生全員にタブレット端末を持たせることを表明しているからだ。今後は与えられる学習ではなく、自ら考えることが求められる時代を迎える。
　大卒でも、社会人としての立ち居振る舞い、仕事のイロハを指導しなければならない新人社員が多いと聞く。本人の責任ではなく、学校教育では、与えられたものを覚え、漢字や計算で正しい答えを出すことだけが教えられた。そ

※2 **GAFA**／「ガーファ」と読む。米国を代表する巨大IT企業。グーグル（Google）、アップル（Apple）、フェイスブック（Facebook）、アマゾン（Amazon）の4社のこと。それぞれの頭文字をとって称する。

して全員が横並びという指導が子どもたちの競争心を奪ってしまった。答えのないものの答えを探すという教育は皆無で、社会の仕組みが創意工夫する環境を与えてこなかった、といえる。

このことは、多くの教育者、研究者、経営者たちが20世紀の教育に対する反省として、書籍などに記述している。

わが社は、社員教育の一環として、各種研修にも積極的に参加させている。当然、明確な目的を持たせ、受講後には職場の同僚らにも研修内容を伝えさせている。内容をしっかりマスターしていないと、説明がうまくできず、また質

新入社員研修で、自衛隊で社会人としての心構えを学ぶ社員（写真右の2人）＝2018年4月、陸上自衛隊米子駐屯地

問にも答えられないため、参加者は真剣な目つきで受講している。

　新入社員には私が基礎的な研修も行って、社会人としてのイロハを指導している。また、自衛隊など社外の組織に送り込んで、短期間ではあるが基本的なマナーなどを身に付けさせている。

▍年俸1000万円プレーヤーも

　育てることの重要性はもちろんだが、思い切って活躍してもらうため、実績を上げている社員には8桁の年棒を支給している。給与は山陰地方の業界ではトップクラスと自負している。

　ボーナスも、島根県内同業者でのトップを目指している。直近の2020年冬の1人当たり支給額を見た場合、民間企業の平均は33万円余だが、80万円を支給している。

▍働きやすい職場環境

　休日取得やゴルフ、ボウリングなどの社内レクリエーションなど福利厚生面はもちろん、伸び伸びと働いてもらうため風通しのいい職場づくりも心がけている。

　福利厚生面では、2020年9月に企業型確定拠出年金

（401K）を導入した。老後資金の積み立てに向けた社員の自助努力を支援するのが目的だが、運用は個人で行うことから、金融の勉強もしてほしいという淡い期待も込めている。

　専門家を講師に招いて社内研修会も開いている。たとえば金融など投資に関心を持てば、自然と世の中の動きを大きな視野でみるようになり、ひいてはそれが金融機関向けの新たなソフトウエアの開発につながっていく。フィンテック（金融部門におけるITの活用）ができないようでは、電子マネーなど新しい時代についていけなくなってしまう。

　「やってみなはれ」の社風で知られる総合酒類食品メーカー・サントリーのOLで、斎藤茂吉を祖父に、北杜夫を父にもつ斎藤由香氏が、社長をはじめ取締役、部課長の話題や社内のどたばた劇をユーモラスに週刊誌のコラムに連載し、「まど際OL　会社はいつもてんやわんや」のタイトルで本にもしている。「そこまで言うか」と思わせる内容にもかかわらず、寛容な社風だけに、社内外のコミュニケーションづくりに役立ったようだ。

　このフランクな姿勢に共感を覚える。自由にものが言える企業ほど、さまざまなアイデアが出され、例え新入社員の提案であっても、柔軟な考えを持つ上司は「若造が」と一蹴するのではなく、丁寧に耳を傾ける。重大なヒントが

潜んでいることもあるからだ。

　わが社も、自由闊達で風通しのいい、おおらかな社風づくりに向けて努力している。だからといって自由奔放かといえば、社会人として欠かせない基本は守らせている。

　例えば、朝の清掃。当番を決め、私を含め役員はもとより、2018年に採用したインド人の社員（詳細は第4章）も特別扱いはしていない。当番は、通路や駐車場をほうきで掃き、トイレの便器も磨いている。

　モノを大切にする心、汚せば迷惑をかけるという気持ちが芽生え、人間としての成長に役立つからだ。営業車も洗車するし、夏、冬のタイヤ交換も行う。私は、エアコンの掃除も行う。

　「やってみせ、言って聞かせてさせてみせ、褒めてやらねば、人は動かじ」

　第2次大戦で日本海軍を統率した山本五十六の言葉だ。私も社員が、人として成長するための範を示せたらいいと考えている。会社に出て仕事をするだけではなく、会社の前を通勤する会社員や近所の方と「おはようございます」と挨拶を交わしている。こうした行為が、日々のコミュニケーション能力のアップにも役立つ、社員教育の一環と考えている。

■モチベーションを高める「優績社員表彰制度（社長賞）」

　社員の士気を高めているのが、「社長賞」と呼ばれている年に１度の「優績社員の表彰」。経営理念・方針に沿って顕著な功績のあったグループ、個人を表彰する制度で、社員が推薦者というユニークな方式を採用している。自薦他薦を問わず推薦でき、選ばれる対象は新入社員からだが、推薦者は判断力が備わってくる入社数年後からの社員にしている。私は、あくまでも調整役に徹している。①企画・アイデア②研究・開発③ソフトウエア開発④営業⑤総務─の５部門を設け、その内容によって最優秀、優秀、特別の３段階の賞を設定している。

　名誉の賞状だけではなく、かなりな額の金一封を出している。グループでの取り組みを重視しており、個人よりもグループの頭割りでの１人当たりの額の方が多くなるようにしている。経験値が浅いためか、新しい製品やサービスを考える企画・アイデア部門の推薦が少ないのが残念だ。社員には常々メカトロソフト（メカニズム、エレクトロニクス、ソフトウエアの融合）こそAI、IoT時代に不可欠なものと説いており、レスポンスのいい社員が増えてきたことから、密かに期待している。

第3章

国内外トップメーカー
220社と契約

▌グローカル経営

　ミニチュアベアリングの製造で世界シェアがトップのミネベアミツミ（長野県）などグローバル企業を主な顧客に国内外220社以上と契約し、サプライヤー（納入業者）は3万3000社以上。年商は8億円だが経常利益が1億円で、経常利益率は12.5％。

　山陰の地方都市・松江にJターンしてIT（情報技術）企業「オネスト」を起業し、四半世紀の25年をかけてたどり着いた。文化と歴史をよりどころとして生きるぬるま湯につかったような地域にあって、地方を拠点に世界（グローバル）を視野に入れた「グローカル」な企業として育ててきた。

　1995（平成7）年の創業から黒字経営を続け、現在は製造業の調達業務改革を支援する「調達業務改革　Web-EDI[※1]　e商買（しょうばい）」を主力にオリジナルソフトウエア製品とサービスを全国展開している。ITを山陰地方の主力産業に育てようと種を播き、大きな樹木に成長させるため孤軍奮闘してきた。

※1 **Web-EDI**／インターネット回線を使った商取引業務の電子的データ交換システム。従来のアナログやISDN回線では画像を送ることができないうえ、速度が遅かったが、ブラウザ上でシステムを操作するため低コストでの導入が可能となった。

オネストの「e商買」導入実績。国内外220社以上、サプライヤーは3万3000
社以上に上る。

▌製品開発の着眼点

「受注先の複数社からの注文を一目で分かるようにして
もらえないか」

インターネットによるEDIと呼ばれる電子データ交換に
よる調達業務改革を支援する「調達業務改革　Web-EDI e
商買」開発のきっかけは、前職の1993年ごろ、知り合いの
下請け製造業者から、相談を受けたことに始まる。

「逆に部品を発注する側の大手や中堅の製造業向け調達システムを構築すれば、全国展開できて一気に普及するはず」

　起業して3年。新製品・新サービスを考案しようとしていたときだった。オネストはIT企業の後発組であり、市場の小さい地元でこれ以上経営規模を大きくするのは先発組と体力勝負の消耗戦になることが予想された。無駄な争いは避け、やるなら、大きな県外市場に打って出ようと考えた。それには武器になるいい製品とサービスが必要だ。

　アイデアを社内公募した。しかし、社内公募ではほとんどの社員が完成品開発の経験に乏しいため、部品の開発しか出てこなかった。自分で自社製品を企画するしかないと思い、GDP（国内総生産）が300兆円という製造業にターゲットを絞り込んだ矢先のタイミングだったことから、この逆転の発想が浮かんだ。しかも、今までの経験などからインターネット回線なら世界中の企業を顧客にできる、とひらめいた。

　それまで、国内に調達システムはあったものの、家電や自動車といった大手メーカーが導入していたVAN（付加価値通信網）-EDI[※2]が主流。しかし、ホストコンピューター

※2　**VAN-EDI** ／ NTTなどの電話回線を借り受けたVAN（Value Added Network、付加価値通信網）を使い、プロトコル変換など付加価値の機能を付け、請求書、発注書などの取引情報を電子的にデータ交換する高度な通信サービス。

は数億円と値が張り、下請けが使うパソコンは当時200万円もしたうえ、通信費が高く、さらに下請けは使用料、維持費を支払う必要があったことから、普及しないでいた。

▌難関を突破し国の実証事業に認定

　ものづくりには開発のための資金が必要。そこで、1999年に通商産業省（現経済産業省）の「先進的情報システム開発実証事業」に応募し、全国589件の中から中国地方では２件認定されたうちの１つに選ばれた。情報技術を使い、地域産業の活性化につながるモデル的アプリケーションの開発・実証を行う事業で、技術と発想力が認められて2700万円の資金を得た。地元金融機関からは6000万円を調達した。

先進的情報システム開発実証事業・報告書

翌2000年に「インターネット利用型受発注・決済システム」が完成し、東京の赤坂全日空ホテルであった発表会に臨んだ。

東京の赤坂全日空ホテルであった受発注決済システム発表会。中央が筆者。右が現・システム製品営業本部長の小林直志、左は現・システム製品開発本部長の山本修司＝2000年

　受注と発注と決済の３つを一度に行うメール型の画期的な内容で、展示場には黒山の人だかりができ、準備していた手作りのパンフレットがすぐになくなってしまった。あわててコピー店に駆け込んで印刷して対応した。受注、発注、決済のシステムはアイデアとしては画期的であったが（2019年に第７次全銀システムに取り入れられることにな

る）、当時の社員には難しすぎた。そこで、発注業務に絞ることにした。

マーケティングリサーチと本格的製品開発

　「社長、Webでなければダメです」

　早速、マーケティングリサーチを行うことにし、若手従業員２人に「１日6000円を出すから」と10日間ほど市場調査をさせたが、現在は取締役システム製品開発本部長の山本修司からの結果報告だった。

　インターネット回線を活用するシステムの仕組み（Webシステム）は、この報告によって決まった。とかく頑固な経営者が多い中、柔軟な考えをしていると自認していただけに「既にインターネットの時代が到来している。パソコンもどんどん安価になってくる」との実感から即決した。

　最も尊敬するホンダ技研工業（現・ホンダ）の創業者・本田宗一郎氏は、４輪車の新エンジン開発で、オートバイ作りの経験から「空冷」を主張した。しかし、「水冷」でやるしかないと真剣に主張する若手の声を聞き入れ、「思ったとおりにやったらいいだろう」とあっさり答え、若い技術者たちの成長を願って数年後に退任している。

メールでは今までの経験から、やり取りする１社ごとの受発注は分かっても、全体の把握は難しい。Webシステムがあれば製造業の調達部門に役立つシステムができる、と確信できたからだ。大容量で安いインターネットが間違いなく普及するとも読んでいた。

　VANは通常の電話回線を使っており、発注者が下請けの囲い込みを図る狙いもあった。しかし、通信回線の歴史をたどると、モールス信号、電話、公衆・専用回線、データ通信、インターネットと変遷した。特にインターネットは、米国国防総省（ペンタゴン）が資金提供して研究開発し、世界規模で相互接続するという画期的なものだった。強固なセキュリティーが導入されていたことから、急速に伸びていった。

　ただし、Webによる調達システムは私が作るのではなく、「言い出しっぺがシステムを作れ」と提案者の山本修司以下４名に再開発の大役を与えた。無理難題を押し付けたのではなく、「やってくれる」と社員を信じての特命だった。

▎日本アイ・ビー・エムとビジネスパートナー提携

　「巨大なIBMを見方につけよう」

　失敗は許されず、開発には将来を見越してデータベー

ス、プログラミング言語などを主流ではなく2番手のIBM製品を使うことなど4つの厳しい条件を付けた。しかも開発メンバーは、同様のシステム開発を行っていた日立製作所の100分の1というわずか4人だった。

　データベースは、主流のオラクル社製ではなくIBMのDBⅡを、開発用の言語はマイクロソフト社製が主流だったが、マニュアルの半分以上が英語というIBMのJAVAスクリプトを使わせた。業務は、社員に調達の知識が乏しく、習得に手間がかかるため、受注と決済は除外した。また、Web型には難題とされるバーコードを入荷処理に活用した。

　IBMにこだわったのは、1994年の日本経済新聞に「IBMが業務用ソフトから撤退」という記事があり、逆に業務について知識を深めてソフトを開発すれば、三菱マヒンドラ農機（島根県松江市）、出雲村田製作所（同県出雲市）など地元企業も使っている信用度の高いIBMと手を組めるという思惑があった。

　何事も主流に乗った方が楽で、仕事がスムーズに運ぶ。日本では老舗は間違いがないという先入観もある。しかし、新サービス、新マーケットを考えたとき、無名な会社を受け入れようとしない国内企業よりも、優れたものには正当な評価をする米国企業に賭けた。

　私は調達業務の知識があったが、若手はそれがないため、通産省の資料などから学んでもらった。また、コン

ピューターの専門学校を卒業している4人には、データ
ベースなどで、文系卒の私に負けたくないという意地も
あったように思う。

　完成した製品は、製造業の購買部門を対象にした調達シ
ステムで、業界の標準プロトコル（送受信の手順を定めた
規格）JEITA[3]（電子情報技術産業協会）のEIAJ-EDIビジネ
スプロトコル[4]に準拠し、見積依頼、発注、納期調整、入
荷、検査・検収、返品、集計など一連の業務がこなせる。電
子入札が簡単にできることから、想定どおりビジネスチャ
ンスが広がるという「自信作」への期待が膨らんだ。

　早速、日本アイ・ビー・エム本社を訪ね、ビジネスパー

オネストが飛躍するポイント
となった日本アイ・ビー・エ
ムとのビジネスパートナー契
約。左が筆者＝島根県松江市、
オネスト本社

※3　**JEITA**／日本の大手電機メーカーなどでつくる電子情報技術産業協会（所在
地・東京都）。
※4　**EIAJ-EDIビジネスプロトコル**／日本電子機械工業会が標準化した企業間取
引の技術的な通信規約。

トナー契約の話を切り出した。IBMのミドルウエアソフト
に専用のアプリケーションを組み合わせる製品ということ
で、両者がWIN-WINの関係になることから、すんなりと話
がまとまった。

▌「地産外商」

　脳裏には常に、ソフトウエアの製品開発・販売が起業の
目的だということがよぎっていた。どんなに優れた製品で
も売らなければ利益が出ない。マーケットの軸をどこに置
くかで戦略も異なる。田舎でオリジナルなソフトウエアを
開発し、これを武器＝製品として販売するには、マーケッ
トの大きい県外で勝負する「地産外商」しかないと確信し
ていた。日本アイ・ビー・エムとビジネスパートナー契約
を結んだのも、「地産外商」を実行するのに当たり、最強の
パートナーを必要としたからだ。
　地元の農産品や水産物の販売拡大に向け、新鮮さで勝負
する地元消費の「地産地消」が唱えられ、産直市などがに
ぎわっている。「地産外商」は、その逆ともいえ、製造業
の大手企業が少なくマーケットが小さい地元の島根でソフ
トウエアを販売するには限界があり、広がりがない。生も
のと違ってソフトウエアは世界のどこで販売しても劣化せ
ず、同じ価値を持つ。後述するが、私は東京で働いていた

経験があり、大都市のマーケットの大きさを十分に知っている。それならば島根県の松江で開発し、東京をはじめ全国、世界で販売して県外からお金を持ち帰ろうという考えは、ごく自然だった。

　経済活動がはるかに大きい都市部から持ち帰ったお金、いわゆる「県外貨」を、会社や社員が島根で消費してお金を落とすこと、さらには本社を島根に置く企業として納税することも、地元の経済効果につながる。この「地産外商」こそオネストの経営の特徴といえる。

▎営業戦略

　実際の営業活動については未知の世界だった。入念な準備が必要と判断し、2000年に「e商買」「e商売」を商標登録した。11月に千葉県の幕張メッセで開かれたソフトバンク主催の展示会に出展すると同時に、当時一橋大学大学院の関満弘教授の取材を受け、12月に日経ベンチャー紙に記事が掲載された。

　21世紀が幕を開けた2001年1月1日、日本アイ・ビー・エムをビジネスパートナーとして、満を持して全国販売を開始した。営業マンには「ものをはっきり言わない、何を考えているのかよく分からない気質とされる島根県人を封印しろ」とまで伝えた。また、全国展開に併せて東京の港

「e商買」の第9類の商標登録証（左）と第42類の商標登録証（右）

区新橋には東京営業部を開設して販売体制を整えた。製品のプロモーションは私自身が行い、「サイバートレード21シリーズ」として、全国展開を行った。

　販売促進、イベント参加などプロモーションは、綿密な計画を立てて行っている。販売戦略は経営の基本であり、明確でなければならない。戦略なきビジネスはありえず、思いつきだけでは全てが破綻してしまう。

　また、「販売の基本は、顧客の心を捉えること」という今までの経験から、年輩の経営者も多いだけに、カタログなどの提案資料は分かりやすい文章で表現するなど、難しい専門用語は極力使わないように心がけた。

　製品の名称、価格の決定は私自身が決め、カタログの作

成も自分で行った。

　夏目漱石の研究などに没頭した大学の文学部で学んだことが生かされ、例えば詩文で同韻の文字を句頭または句末に置く韻を踏んだ表現にすることで、ユーザーの心に響くように訴えるなど隠れた心遣いをしている。

　当然、「○○に効果がある」など法的に問題となる表現についても勉強し、誇大表現はしないでエビデンスを重視し、具体的な数字を示すなど費用対効果を提示している。

　都会地での展示会への出展についても、参加、不参加の判断は経費の額に関わらず戦略に基づいて行っている。

オネストが毎年出展している設計・製造ソリューション展＝東京ビッグサイト

設計・製造ソリューション展のオネストのセミナーで自社製品の説明をする社員
＝東京ビッグサイト

　2001年の第12回から毎年出展している東京ビッグサイトなどを会場にした国内最大規模の「設計・製造ソリューション展※5」は、毎回700万円の経費が必要だが、費用対効果を考えると、新規顧客の開拓、従来の取引先との情報交換など、継続して出展している意義は大きい。

　今年（2021年）も、コロナ禍にもかかわらず、幕張メッセで開催された「第32回設計・製造ソリューション展」に

※5 **設計・製造ソリューション展**／設計、生産管理などの製造業向けに、ITを使って解決するためにメーカーや商社が一堂に出展する専門の展示会。幕張メッセなどを会場に約2000社が出展し、8万人以上が訪れる。2021年で32回目。

2月3日から5日までの3日間、主力商品の「調達業務改革　Web-EDI e商買」を出展した。22年連続の出展で、コロナ禍による入場制限の中、3日間で8500人の来場があり、そのうち10％強の900人が弊社ブースを訪問。例年の約8万人の来場者数で3％程度の訪問率からすれば驚異的な数字だ。いままで以上に「e商買」が注目され、新規開拓につながる展示会となったと確信している。

▌契約第一号

　販売を始めると、メール型の試作品に対してWeb化を提案した開発本部長の山本修司が自ら飛び込みで入ったカントリーエレベーターのトップ企業・サタケ製作所（広島県）、東京ビッグサイトでの展示会に顔をみせた、コングロマリット（複合経営）でグローバル展開する極小ベアリング製造業のミネベア（現ミネベアミツミ、長野県）、印刷機メーカー・デュプロの子会社・デュプロ精工（和歌山県）の3社から引き合いがあった。

　取引第1号となったのがミネベアだった。展示会を覗いて丁寧に説明を受けた同社の担当課長が、帰社して部長（森忠彦氏）に報告した。そのとき、日経ベンチャーの私の写真付き記事を読んでいた部長は「この会社だろう」と課長に新聞を見せ、私を呼んで説明をさせるよう指示した。

ミネベア本社に出向いて説明すると、部長は富士通、日立、日本アイ・ビー・エム、シンガポールのベンチャー企業など７社を検討したが、わが社のシステム内容が一番いい、と高く評価してくださった。

　「ただで納入できないか？　ミネベアに入れたというだけで、絶大なPR効果がある」

　評価の一方で、田舎の無名な社に対する、強引な取引の打診もあった。

　「それは利益供与です」

　きっぱり断った。その部長は「君は一流人だ」と評価して納入を即決した。世界をまたに掛ける企業だけにさすがにコンプライアンスはしっかりしていると感じた。森氏とは現在でも親交を続けている。
　サタケの受注時にも、当時の生産副本部長と以下のやりとりがあった。
　副本部長は「石碕さん、Excelで発注データを作成し、メールで外注先に送れば、電子的に受発注できるよね」と申し出られた。私はこれについてあえて異論をとなえず、「やってみてください」と返事した。２週間もすると副本部

長から「やっぱりだめだ。『e商買』を導入するよ」と連絡があった。

　このように、サタケにも納入が決まるなど順調なスタートで、中でも全国展開を見越して開設した東京営業所は、中途採用した、高校時代の同窓生の佐貫公徳所長が、IT機器販売の経験を生かして期待通りに売り上げを伸ばした。

▌相次ぐ受賞

　翌2002年には、新しい事業を展開して目覚しい成果を挙げている中国地方の企業に贈られる「第10回中国地域ニュービジネス大賞」を受賞した。

　2003年には第4回日本IT経営大賞で、日本商工会議所会

中国地域ニュービジネス大賞表彰式。筆者は中央列の右から4人目＝2002年、広島市内

〈第4回日本IT経営大賞受賞企業〉

中小企業庁長官賞	株式会社サンリット産業
日本経済団体連合会会長賞	日本電気株式会社（NEC）
日本商工会議所会頭賞	**株式会社オネスト**
日本情報処理開発協会会長賞	ローランド ディー.ジー.株式会社
フジサンケイグループ賞	株式会社クレステック
日本工業新聞社賞	栄研化学株式会社
審査委員長特別賞	アークレイ株式会社
日本工業新聞創刊70周年特別賞	株式会社富士通ゼネラル

頭賞に輝いた。ITによる経営合理化、新規ビジネス創出などの成果を挙げた中堅・中小企業を対象に、将来性のある企業に贈られている。同時に受賞した企業には、上記の一覧表の通り著名な企業が名を連ねた。

全国レベルの評価を受け、ますます自信を強めたが、認知度が高まる分だけトラブルの発生も予想されることから、知的財産権（著作権）を登録した。

第4回日本IT経営大賞の日本商工会議所会頭賞受賞

▌新製品「調達業務改革　Web-EDI e商買EX」を発売

改良に改良を重ね、2018年6月には、最新版「調達業務

改革　Web-EDI e商買EX」の販売を始めた。それまで7回の改良を重ねた版数字を増やす方法ではなくExcellent（エクセレント＝卓越した）Procurement（プロキュレメント＝調達）としての発売で、新たに納入先との取引データを収集・分析した取引実績分析など調達業務改革につなげる機能を持たせた。さらに、世界標準の最新ブラウザで効率のいい作業環境を実現させ、スマホやタブレット端末からでも操作できるようにし、画面の表示速度も従来の2倍に速めた。

　コスト削減、業務の標準化・効率化、安定した調達の実現など製造業が抱える調達業務の課題に応えた内容で、コ

30％以上のコストダウンの実現を可能にした「調達業務改革　Web-EDI e商買EX」を発売。オネストを急成長させた

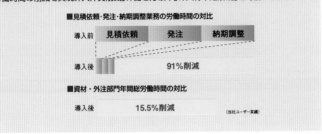

業務の標準化・効率化

「e商買®EX」を導入することで、「属人化している業務の標準化」、「業務効率のアップ」を行い労働時間の削減を実現。「人件費削減」、「働き方改革」、「人材不足解消」を可能にします。

■見積依頼・発注・納期調整業務の労働時間の対比

| 導入前 | 見積依頼 | 発注 | 納期調整 |

導入後　　　　　91％削減

■資材・外注部門年間総労働時間の対比

導入後　　　15.5％削減

（当社ユーザー実績）

「e商買」を導入すると業務の効率化は各段にアップすることから、次々と国内外の製造業に広がった（図はオネストのカタログから）

ストの削減では、EDI化によって▽業務の効率化による労務コスト▽ジャストインタイムによる在庫管理コスト▽電子取引による通信コスト▽ペーパーレス化による消耗品コスト―の削減などにより、30％以上のコストダウンの実現を可能にした。

　業務の標準化・効率化では、属人化している業務の標準化、業務効率のアップで労働時間の削減を行い、人件費削減、働き方改革、人材不足解消を可能にしている。見積依頼・発注・納期調整業務の労働時間の対比では、導入前に比べて91％の削減が可能となり、実際に導入した企業では、資材・外注部門の年間総労働時間で15.5％の削減を実現したところもあった。

　安定した調達では、仕入先別取引実績分析機能を利用

し、仕入先の問題点や傾向を把握することで、効果的な改善指導や対策を行って安定した調達を実現させることができる。

　さらには大幅な労働時間の短縮による人材不足対応、見積書、注文書などの電子データ保存が可能な電子帳簿という今後の課題にも対応したものになっている。

　EDIに加入していないぜい弱企業などの仕入先に対しては、郵送・FAXによる納期や見積、単価の回答情報を代行入力でき、発注情報の総合的な分析を可能とした。また、注文書、納品書、図面などの一括印刷、自動FAXなどを可能にした。

　政府の重要施策のひとつで、生産性を向上させて残業を削減できる、いわゆる「働き方改革」にもつながるシステムとして「調達業務改革　Web-EDI e商買EX」は大手の製造業から注目された。市場のニーズにマッチしてわが社の柱となるヒット製品に成長した。

▌システム導入に対する私の考え方

　コンサルティング、ソフトウエアのユーザーカスタマイズ、導入支援、アフターサービスまで一貫して行うことで顧客の要望に応えるようにしている。

特にハードウエアの保守を中心にしたアフターについては、最大の注意を払っている。サーバーの保守については、日立製作所、富士通、日本アイ・ビー・エムなどハードウエア、ミドルウエアメーカーと連携し、トータルサポートによって24時間365日の安定した稼動を実現している。

大災害の際などのBCP※6（事業継続計画）対策として、クラウドサービスを提供しており、安全・安心の確保はもとより、運用・管理・電力コストの削減を図っている。また、業界のJEITA（電子情報技術産業協会）／ECセンターの「EIAJ-EDIビジネスプロトコル」の適合製品で、単価設定などの業界商習慣に細かく対応しているほか、IBM、日本オラクルの認定製品となっている。

システム障害が起きれば、セキュリティー担当のエンジニアがリアルタイムで対応しており、現地に出向く必要があれば、専門のエンジニアが出かけて適切に対処している。

どの業界もそうだが、クレームや相談事に即座に反応するレスポンスの良さが、信頼を強める最大の武器といえる。「売ればいい」という単純な発想では、ユーザーは離れていく。

※6 **BCP**／事業継続計画（Business Continuity Plan）の略称。災害などの緊急事態が発生したとき、企業が被害を最小限に抑え、事業の継続や復旧を図るための計画。

▌信用第一

　信用こそがユーザーの心をつかみ、「設計・製造ソリューション展」に高額な出展料を支払って連続参加することによって情報交換やアフターケアに努めている効果もあって、現在の稼動実績は220事業所以上で3万3000超のサプライヤーとなっている。国内では工作機械、機械部品、電子機器、電子部品、金属加工、医療機器、建設機械、自動車部品など、海外では中国、韓国、ドイツ、アメリカ、メキシコなどの防災機器、精米機器、自動車関連機器といったメーカーが採用している。

　12％超という非常に高い経常利益率が出せるのは、約60人の社員の給与など経費を抑えているのではなく、具体的な内容は企業秘密ながら、経営理念に「独自の技術やサービスを活用できる市場の開拓に注力します」「適正利潤を追求します」などと掲げるように、取引先と強い絆で結ばれ、WIN-WINの関係を構築してきたからだ。

　創業当初は、基礎体力を蓄えるために、さまざまな事業を行ってお金を稼ぐ努力をしたが、同時に信用、信頼を得る努力も怠らなかった。

第 4 章

新社屋で
さらなる飛躍

▌首都圏の営業強化

　「立ち止まる」という文字は私の辞書にはない。オリジナルソフトウエアの開発にこだわり、創業からの経営スローガン「あくなき創造への挑戦」を続け、ヒット製品「e商買」の開発・販売にこぎつけた。しかし、これで満足することなく、常に技術、営業の両面から新たな事業を展開している。

　営業面では2015年、首都圏・東日本がエリアの東京支店を品川区大森にあるオフィスビルに移転した。大手企業への営業力を強化するため、開発部門に力を入れており、スタッフを増員して10人体制にした。ユーザーカスタマイ

2015年に移転した東京オフィス。大手企業への営業拠点だ＝東京都品川区南大井

ズに対応するには、対面で直接相談しながら問題の解決を図っていくのがベターであり、わざわざ松江から出かけていくよりも、営業拠点の東京オフィスで要望に沿ったソフトウエアが迅速に開発できる。メンテナンスも含め、さらに体制を充実させていく必要があると感じている。

　数年前には、東京にあるソフト開発のパートナー会社と開発委託契約を行った。まだ十分に持てる能力を発揮しているとは言えないが、軌道に乗れば頼もしい存在になる。

　振り返れば東京の拠点は、私の青春時代と縁の深い場所に開設してきた。「e商買」を発売した2001年の港区新橋は、東京営業部として島根県が設けた共同オフィスに机を１つ置いただけで無人でのスタートだったが、半年後にIT企業にいた島根県立出雲工業高校の同級生の佐貫公徳君を取締役営業部長として配属した。私が富士通に入社したとき、配属された開発部門のFACOMビルがあった地で、不夜城と呼ばれていたように昼夜を問わず製品の開発に没頭した。06年には大田区蒲田に移り、数人規模に拡大して営業の強化を図ったが、ここは大学卒業後に働いた富士通のシステムラボラトリーがある。大森は、やはり籍を置いていた日立製作所のソフトウエア工場があり、不思議な縁を感じる。

▎地域未来牽引企業

　2017年には、経済産業省が認定する「地域未来牽引企業」
に選ばれた。地域未来投資促進法では、地域の成長発展の
基盤強化を図るため、地域経済を牽引する事業を促進。そ
の一環として地域内外の取引実態や雇用貢献度、売上高な
どを勘案し、地域経済への影響力が大きく、成長が見込ま
れる中核企業を選定している。

　わが社は、製造業の調達業務に特化したWeb-EDIシステ
ム「e商買」の拡販を通じて地域経済への好循環の創出に
貢献している。全国3万社の製造業などが導入し、「外貨」
が島根県内に流れ込んでくる、いわゆる「地産外商」のス
キームを確立した。

「地域未来牽引企業」の認定証。県外から「外貨」が流れ込ん
だスキームが認められた

この認定により、さらに行政と連携を深めるなど、AI（人工知能）やIoTを活用した新製品開発を加速させ、名古屋の中堅製造業との協業や国立大学との共同研究にも着手した。また、アジア各国をターゲットにした販売戦略を強化して地元経済の未来を積極的に牽引していこうと考えている。

▌本社・ソフト研究開発センター建設

　島根県松江市上乃木4丁目にあった社屋が手狭になり、駐車場もスペースが少ないことなどから創業25周年の節目となる2020年2月、同市東出雲町に約1600平方メートルの敷地を取得して本社を新築移転するとともに、ソフト研究開発センターを新設した。コンセプトは、「どの部屋でもプロジェクトチームや個人で開発ができ、離れていても会議ができるオンライン会議システムの充実」で、ミーティングルームなどには85インチの大型液晶画面を計5カ所に、そして動画撮影用のカメラ、フリーアクセスのデスクなどを配置している。

　緑が豊かな周辺の景観に合わせ、環境に配慮した木造3階建て。延べ床面積は旧社屋の1.8倍に当たる1000平方メートルで、本社機能を備えた研究開発センターとした。集成材を使った耐震性の高い木造構造は、自然を大切にす

るわが社のアイデンティティーを具現化したが、木のぬくもりは、心を和ませてくれるため、ソフト開発をする際に、いいアイデアを出すのに効果がありそうだ。木造だと高コストと考えがちだが、思ったほど高くなかった。木造建設技術が向上し、東京では木造10階建てのビルが建設されている。環境、解体時のコストなども考慮し、今後ますます増えることが予想される。

　外観は、社屋全体を自社のイメージカラーのブルーに統一した。正面の３階左側には、オネストのロゴマークとロゴタイプを入れ、夜間は建屋と一緒にライトアップしている。窓は、大小さまざまな大きさで、配置も縦横とも不ぞ

創業25周年に建設された新本社・研究開発センター。木造構造が特徴だ＝島根県松江市

ろいだが、鉄筋ではできない木造の成せる業といえ、アンバランスの中にも調和がある。

　ソフト業界も品質管理が重要で、セキュリティーは特に気を配っている。わが社は情報セキュリティーに関する国際規格のひとつ「ISO27001」の認証を受けた。

オネストが認証を受けた国際規格のひとつ「ISO27001」の認定書

　社屋への入退室、さらには各部屋への入退室も認証カードをカードリーダーにかざして認証させなければロックが解除されない。すべてが厳重に管理されている。取引先には、防衛省関連への納入企業もあるなど、大切な顧客の情報漏えいがあってはならず、インターネット回線を含め、IT企業として当然の対応といえる。

　エントランス正面の色は、自社のイメージカラーのスカ

イブルーで、オネストのロゴが目に飛び込んでくる。研究開発室は吹き抜けにした。開放感を持たせ、明るく優しい光を採っている。

エントランスにはイメージカラーのスカイブルーの壁と、オネストのロゴが目に入る＝島根県松江市の本社

新社屋の開発ルーム。快適な環境で作業がはかどる

1階は、営業、総務関係の部屋や、2・3階にも設けているミーティングルーム、給湯室などがあり、2階は研究開発室がメインだが、小説、文献、事典などを並べた「オネスト文庫」を設けた。書籍を並べたのは、時には頭をデジタルからアナログに切り替えることも大切と考えたからで、社員の意見を聞きながら、さらに蔵書を増やしたい。

　展望のいい3階にはカフェテリアを配し、春は桜など外の景色を楽しみながら、あるいは仲間とおしゃべりをしながら昼食を取れるようにしている。移動式の壁にしており、取り払って隣接のミーティングルームとつなげば、社員集会、入社式なども開ける。

　おしゃれで都会的なデザインの社屋ながら、日本的なくつろぎができるよう、畳の休憩室も設けた。床の間には、わが社が主力製品「e商買」のイメージキャラクターに起用している「恵比寿」と、出雲国の象徴とでもいえる「大黒」が描かれた軸を掛けている。ふすまと障子は島根県浜田市にある吉原木工所の専務・吉原文司氏の手による、特注の伝統工芸品「組子」を施した。吉原氏は、全国建具フェアで農林水産大臣賞などに輝き、私が副会長を務めている中国ニュービジネス協議会でも大賞を受けていて、新進気鋭の作家として注目されている。私が囲碁を打つということもあるが、遠来の顧客らに窓の外の竹林をながめながら一服のお茶でも味わっていただこうと思っている。

日本的なくつろぎができる和室も備える。窓には「組子」を施している＝島根県松江市の本社

　また、システム障害の復旧作業時や災害時の仮眠室としても活用できる。これとは別に女性専用の和室休憩スペースも設けており、ここで昼食弁当を食べるもよし、体を休めるのもよし、「社員ファースト」の職場環境づくりにも配慮している。

　全体的に、アイデア、発想力が浮かびやすく、働きやすさを重視した構造で、環境に恵まれたインテリジェントオフィスと自負している。車椅子生活など障がいのある方の来訪、将来の障がい者雇用を見越してエレベータも設置した。オール電化で、火災の不安も少ない。駐車場は全社員の車の収容が可能なスペースを確保し、ライトアップの照明、外灯は太陽光発電を採用した。

　3億3000万円を投じて2019年6月に着工し、20年2月に

完成した。

　この地は約1300年前に編さんされた「出雲国風土記」にちなんだ地名の「意宇の里」と呼ばれる由緒ある地域で、歴史と文化の薫りが漂う。山陰自動車道の東出雲インターチェンジ（島根県松江市東出雲町）からわずか５分の立地で、通勤や営業活動がスムーズにできる。候補地はほかにもあったが、交通の利便性を考えて、この地を移転先に決めた。

　意宇は、律令制時代に制定された八神郷の一つとされ、「出雲国風土記」ではヤツカミズオミツヌノミコトが、本土と離れていた現在の島根半島を引き寄せる国引きの大仕事を終えたことを宣言するのに「国引きを意恵＝意宇」といったことに由来する。

　私は国引きではなく、IT産業を基軸に全国、世界から島根県の松江に人寄せをして、ここをIT産業のメッカにしたい。これを現代の国引き物語としてこの地でぜひ実現させたい。

▌企業立地計画の認定

　新社屋は、社外とのネットワークを強化し、営業、開発の各部門全室にテレビ会議システムを導入した。自社のテレ

ビ会議システムそのものを製品として販売する計画だ。来社されたお客様に、実演による会議の様子を見てもらい、体感してもらうサービスを提供し、それぞれの会社の生産性アップに生かしてもらう。とかく会議はマンネリ化してしまいがちだが、テレビ会議の有用性を確認してもらいたい。

　社屋移転は、島根県の立地計画の認定により、県が約4300万円、松江市が約2600万円の助成予定である。3年間で15人の新規雇用を計画している。補助金が高額だという人もいるが、社員の雇用が絶対数で15人という条件をクリアしなかった場合、一切の助成が得られないことを考えれば、全ての資金は自己調達であり、ハードルは非常に高い。

立地計画認定の調印式に臨む丸山達也島根県知事⊛、松浦正敬松江市長⊜と筆者＝松江市殿町、島根県庁

インド人エンジニアを採用

　雇用については、人手不足の世の中だとはいっても、誰でもいいという訳にはいかない。将来計画の中で、エンジニアなのか営業なのか、を決めている。2018年には、将来のアジア展開も見据え、インドのケララ州にある私立SCMS工業技術大学などのインド人新卒学生2人をエンジニアとして採用した。

　私自身が、ケララ州と交流している山陰インド協会[1]（事務局・松江市）の常務理事を務めている。文化交流のほか、人材の確保も目的の一つで、協会などが縁を取り持ち、インド人学生の就業体験を実施している。それがきっかけとなり、出身大学の先輩から松江の良さを聞いて、インド出身ITエンジニアの島根県内第1号として2人が入社した。一人前になるのには数年かかるだろうが「国際的に活躍したい」と張り切って仕事をしている。

　IT系、経営系の大学教育が進んでいるインドは、最大の輸出品目が人材といわれるほどだ。インドの出身者は、GAFAの一つ、グーグルのCEO（最高経営責任者）や、マイ

※1　**山陰インド協会**／松江市出身のインド哲学者・故中村元氏との縁などがあり、IT大国のインドと中海・宍道湖圏の首長らが音頭を取って2013年に設立。山陰とインドの交流を進め、山陰の経済産業、文化の向上発展を目指す。会長は松尾倫男山陰中央新報社社長。会員数179。

クロソフト、マスターカードのCEOなどを輩出しており、どこの国でも引く手あまたという。日本では初任給年棒が300万円でもトップクラスなのに、GAFAに1600万円で入社したインド人学生もいる。

　今後も高度人材活用という観点から、優秀な人材は国籍を問わず採用していきたい。治安が安定していることも、外国人が日本での就職を希望している大きな理由とされ、日本はもっと自国の良さを世界に向けてアピールすべきだ。

　山陰インド協会の活動が盛んなことから、駐日インド大使のディーパ・ゴパラン・ワドワ氏らは何度も松江を訪れている。松江の企業がケララ州で水質浄化の実証実験をするなど、山陰インド協会を通じてケララ州とは交流がさらに深まっていくと感じており、わが社も協力体制を強めたい。

▌国家公務員の研修受け入れ

　研修の受け入れは多分野に広がり、2018年には経済産業省の「民間企業派遣研修」で、入省2年目の職員に学んでもらった。

　この研修は、経営の現場を肌で実感し、日本の経済・産業の政策課題を自ら抽出することで、国内を活性化するための政策を立案する能力の向上を図ることを目的としている。

わが社の経営理念や「ｅ商買」の価値とその制作工程における創意工夫、社長の熱意や考えなど、企業活動の現場を実習・体験してもらった。この経験を基に、地方創生や疲弊する地域経済を活性化させていくための政策立案に活かしてほしい。

▌現場の声を製品開発に活かす

　「お客様が求めるものを届けてこそ、会社の存在意義がある。常に工夫し、オリジナルなサービスを提供して喜んでもらいたい」

　製品開発に当たって社員にアナウンスしている内容だ。現場を重視して、しかも経営者、管理職、一般社員やパート従業員ら各層の声に耳を傾けることが大切だと考えている。象の体にさわったときに足、耳、鼻など部位によって感触が違うように、１つの製品でも、立場によって意見が異なり、要望や期待度も違うからだ。ターゲットとなる層の意見を重点に、各層の声も反映させながら、真に役立ち、喜ばれるサービスの提供を心がけている。
　同様に顧客の生の声を反映させて「ｅ商買」の進化を図ろうと、2018年11月には、「ｅ商買」のユーザー研究会を立ち上げた。

研究会は、わが社の製品に対して貴重な意見やアドバイスをいただくことで、社員が一丸となって新製品や新サービス、既にある製品の改善などに反映させるのが目的。展示会の会場では、ライバルのユーザーが顔を合わせることもあり、本音が聞けないことから、研修会で聞き出そうという狙いもあった。また、ユーザー相互のコミュニケーションによって「e商買」の効率的な活用を行い、調達業務の改革に役立ててもらうという目的もあった。

　異業種のユーザー同士が親睦を深め、新たな取引を始めた例もあり、好評だったことから、今後も年に1回程度の開催を予定している。2019、20年は、本社の新築やコロナ

名古屋市で開いた第1回オネストユーザー研究会後のゴルフ交流会の様子＝2018年、名古屋市内

禍などで多忙を極めたことから開けなかったが、2回目は
ユーザーが増加している四国での開催を想定している。

▍早大生に「校友連携プログラム」

　2017年からは、母校である早稲田大学の学生が地域で活
躍するOBを訪問する「校友連携プログラム」を3年連続で
実施し、学生を受け入れている。訪問先で、先輩たちの起
業への想いや人生観、地域の課題などを学習することで、
気づきや学びの動機を得るのが狙いで、和歌山と島根の2
県でスタートした。
　早稲田大学は、地域や社会の発展に貢献する、叡智、実
行力、志を備えたグローバルリーダーを育成するため、積
極的にキャンパスの外に出て学ぶ「社会連携教育」を推奨
している。私は、校友会の商議員をしていることや、校友
会の松江稲門会会長も務めさせていただいている関係もあ
り、率先して受け入れている。
　島根が第1号の開催県になったのは、地方からの早大進
学が激減していることを鎌田薫前総長が嘆いておられたこ
とに起因する。前総長は、グローバルな人材を育てるため
に海外留学を推奨されていた。一方で、自身が山口生まれ
で静岡育ちだったことから、校歌「都の西北」にある「集
まり散じて人は代われど」の歌詞にあるように全国から学

生が集まり、卒業したら地方に帰って地域を活性化させる人材を輩出したいと願っておられた。

　島根県の早稲田大学校友会総会に出席され、とんぼ返りされようとしていたとき、日程を変更してもらい、国宝の松江城に案内した。そのときに現役学生が先輩を訪ねるプログラムの構想を話され、私も「やりましょう」と返事をしたのが、第1号となった経緯だ。

母校の早稲田大学の学生を受け入れた研修＝2019年、松江市上乃木4丁目、旧社屋

　第1回は、松江地域で活躍する陶芸家、和菓子や旅館の経営者といったOBを訪ねてもらったが、学生たちは一般企業ではない経営者が多いことに驚いた様子だった。

　参加する学生の募集は、大学のホームページに会社名や社長の活動状況などが掲載され、学生が訪問先を決めて手

を挙げる形で行われる。

　旅費、宿泊費など自費での参加で、10県に増えた19年
は、島根には男女３人が参加した。わが社をはじめ、和菓
子メーカーや旅館などの経営者の先輩を訪ねた。私は「私
の起業ストーリー」のテーマで、ヒット製品「ｅ商買」の
開発や販売戦略、地方で雇用を増やすことへの夢や人生に
ついて語った。学生には研修リポートを提出してもらった
が、「自分の人生に活かしたい」「人間的な奥深さを感じた」
「確実に目標の実現に向かう姿に憧れを感じた」などの感想
が聞かれた。

　会社経営は一筋縄でいかず大変だ。わが社は、まだまだ
強い会社にしていかなければならないが、学生たちがこの
ような感想をもってくれたことに恐縮し、逆に励ましにも

オネストは早稲田大学のインター
ンシップ制度「校友連携プログラ
ム」で、全国で初めて学生を受け
入れた。写真は2019年に訪問した
学生の寄せ書き

なっている。2020年の年賀状に「地方での就職を決意した」と書いてくれた学生もおり、今後の研修に意を強くした。

　一般的な観光では、うかがい知ることのできない、地域を深く知ってもらう貴重な機会でもあり、これからも積極的に受け入れ、地域で頑張ることの意義などを人生、大学の先輩として伝えたい。参加した学生は、意欲にあふれ、高い志がある。それだけにこうした機会が、県外出身でも入社にまでつながらないものか、と淡い期待を抱いている。

　一方、島根から都会地の私立大へ進学する場合、関西圏止まりで、関東を目指す生徒は少ない。千葉県にあった県人寮が廃止されたこともあるのかもしれない。しかし、早稲田は東京の中野に学生寮を持ち、成績が優秀だと学費や寮費も免除される。2020年は、松江からこの制度を利用して早稲田に進んだ生徒も生まれた。一度しかない人生だけに、大いに挑戦してほしい。慶応の学生は「慶応ボーイ」と言われるが、早稲田は「早稲田マン」。あまりにもスマートな時代だからこそ、田舎出身のバンカラな学生が求められる可能性も高いのではないだろうか。

　田舎でもIT産業への関心が高まり、私のところに、行政や団体、高校などからの研修、講演依頼が増えている。起業の精神、IT産業への挑戦、オリジナルソフトの開発、人としての在り方などを話している。自信を持って話をするためにも、社業を伸展させて地元IT業界のトップランナー

を目指したい。UIターンに躊躇している人たちが、オネストの姿を見て、「やってみよう」と思うような、背中を押せる存在になりたい。

第 5 章

企業伸長こそ
最大の地域貢献

▌チャレンジャー

　起業してから26年が経過したが、まだまだ発展途上にある。この間、頂上を目指して一歩一歩坂道を上ってきた。多くの人との出会いに恵まれ、何かを行うときはタイミングという運も味方してくれた。

　ユニークな経営で全国から教習生が集まる島根県益田市のMDS（益田ドライビングスクール）の創業者（早稲田大学OB）が「縁尋機妙」という言葉を大切にしておられた。いい縁は、さらにいい縁を結んでくれる、という意味だ。「多逢聖因」という言葉が続くが、いい人と交わっていると、いい結果に恵まれると説いている。人と人とのつながりを大切にしながら、オリジナルな新サービスの研究開発に励みたい。金儲けはスマートでなくていい。泥臭くてもいいから、１歩ではなく、半歩先を歩むことで、堅実に少しずつ信用、信頼を重ね、業績をアップさせたい。

▌勝ちパターンを駆使

　「悩まない。諦めない。やりゃ、できる」

　私のモットーだ。あれこれ悩まず、七転八起の執拗なまでのしつこさで挑戦し、十分に満足できるものではないが

事業を成功に導いてきた。節目の25周年を経て、新たな気持ちで次のステップに挑んでいるが、このサクセスパターンを継続させる。社員を現在の約60人から100人に増やし、さらには300人という夢のような目標が具体的に描けるようになることこそが、人材確保による人口減少の歯止めにつながり、ひいては動物園などのアミューズメント施設を松江市につくるという思いを実現させ、スポーツや文化の発展を支援する最大の地域貢献になる、と信じている。

　私は最終的には「悩まない」ことにしている。何かを実行しようと考えたとき、いい加減な気持ちで判断するのではなく、考えに考え抜いて決断する。しかし、一度決めたら自らを信じてブレない。その決断の根拠となるのは、現場の実態。当初から貫いている原理・原則・現実・現場の「４原（現）」主義。いわば「理論と実践」が大切である。

　また、アメリカのバイデン大統領、中国の習近平主席ら大国のトップは強いリーダーシップを発揮しているが、今の島根はどの分野においてもこのようなカリスマ的リーダーが必要なのかもしれない。全方位の姿勢では、事なかれ主義で終わってしまい、変革は起きない。極論かもしれないが、よりよい方向に進むなら、「朝令暮改」をいい意味に解釈して、従来の方針を転換するほどのリーダーの強い個性が求められている。

「諦めない」のは、私の真骨頂。ヒット商品「e商買」も最初から売れたわけではなかった。いいものを作れば売れるのではなく、相手にいいものだということが分かってもらえたら、売れる。営業に出かければ、さまざまな要望が出てくるが、当然、改良に改良を重ねる。そして使ってもらう。使ってもらうまで諦めない。使えば、いいものだということが理解してもらえ、次の商談につながる。ここでもバージョンアップなどの要望を聞いて、改良する。

　「継続は力なり」

　諦めないというのは、まさにこの言葉に尽きる。例えば、通信手段はこの20年ほどの間に、ポケベル、PHS、携帯、スマホと変化してきた。自動車電話もあった。これからは５Ｇ※1の時代が到来する。この変化も、いい意味の「朝令暮改」で、日本は「ガラケー」にこだわって、スマホという進化に乗り遅れた。現場の声を大切にしなかったツケが回ったといえる。大容量通信の光ファイバーが行き渡り、CATVの通信では、対応できなくなってきた。これも時代の

※１　**５Ｇ**／「5th Generation」の略称で「ファイブ・ジー」と読む。日本では2020年春から開始された第５世代移動通信システム。超高速・大容量（高解像度の動画配信）、超低遅延（車の自動運転や医療の遠隔操作などよりリアルタイムな操作が可）、多接続（モノをインターネットにつなぐIoT機器の接続台数が大幅に増える）で、速度は現在の４Ｇの約20倍。

変化だ。よりよいものを求め、諦めずに努力を重ねることが「継続は力なり」であり、企業経営の根幹をなすものといえる。

　「やりゃ、できる」は、諦めないにも通じる面があるが、「七転び八起き」の精神で挑戦を続ければ、目標を達成できるという私の実体験に基づいている。創業以来、数人だった社員を少しずつ増やし、25年で60人余までのIT企業に育てた。「地産外商」にこだわり、グローバルに通用する製品の開発販売を貫いた地道な努力の結果にほかならない。大きな目標の100人には程遠いが、これは優秀な人材がなかなか確保できないからで、人件費を無視して利益率を下げ、大手の下請け業務などをすれば数をそろえることは可能だ。しかし、少数精鋭主義で、自社のソフト商品の開発販売をするには、やはり人材が欠かせない。新卒、UIターンはもとより、外国人を含め商品開発のできる人材を探し、真の意味での100人企業に育てたい。

　人材＝人財の確保や育成については、第４章でも触れていて、年俸1000万円プレーヤーがいることなどを述べた。市場調査、分析、製品の企画や広告宣伝のできる人材は貴重で、リクナビなどを通じて全国に募集をかけている。

　この募集でＩターン入社した山口県出身の社員は、奥さんは高知県出身という島根とはまったく無縁の夫婦。ソフ

トの下請け制作などと違い、自身が開発したパッケージソフトウエア製品が、日本を代表する企業で使われるという醍醐味にひかれて入社してきた。給与なども、中途入社は不利な条件が多い地方の企業にあって、実力主義で雇用していることも魅力だったという。既に、大手企業4社にパッケージ製品を納品している。

　探そうという強い決意で力のある人財を探せば見つかるもので、まさに「諦めないで探せば、発掘できる」。社員も、自身のアイデアから生まれた製品を大手企業に納めれば、「やればできる」と自信につながる。

▌UIターン入社

　多くのUIターン社員は、「e商買」という全国展開する製品づくりに関われることに魅了されて入社している。大きな地震や災害が少ないという自然環境から選択したという動機の社員もいるが、ITエンジニアとして、さらにバージョンアップさせた製品づくりに挑んでいる。私は少数精鋭主義だが、製品の研究・開発中は、何カ月もそれに集中させる。これにより、社員のモチベーションが高くなり、社内に活気があふれることは、経営者冥利につきる。

　UIターンの営業マンだって全国展開の製品を売るという、嬉しさ、楽しさがあり、東証に上場している大企業と

堂々と交渉して成約させ、田舎の企業でも「やればできる」と自信を深めている。製品に自信があれば、説得力も高まる。販売を代理店に委託してしまう企業も多いが、真に製品の内容を理解しているのは社員だけだ。

　また、行政や金融機関がビジネスマッチングに力を入れているが、製品の良さだけではなく、ロットが1000個、1万個のことも考えるダイナミックさが欠かせない。部品メーカーとか営農者が1社で100個できるなら、仲間を集って1000個、1万個にする度量をもってほしい。当然、行政や金融機関にも意識改革が求められる。ロットが大きいと、すぐに「できません」と返答しがちだが、「やります」がアンサーだ。

　開発でも、営業でも現場の実践力こそ真の力を育てるだけに、「悩まないで強い意志を持ち、諦めることなく挑戦を続け、やればできる」というパターンを身につければ、どんな場面に遭遇しても怖くはない。

▍動物園を造る

　第1章でも触れたが、冗談ではなく、松江の地に動物園を造りたいという夢を真面目に描いている。トラやライオンなどの大型動物でなくても、家庭で人気の犬や猫など身

近な動物と触れ合える場を造りたい。若いエンジニアにいくら仕事の場が提供できても、子どもたちと気軽に出かけられる空間がこの地に必要だという思いからだ。何も広島や岡山にある立派なアミューズメント施設に出かけなくても、買い物がてらにちょっと立ち寄れる癒やしの場の設置が欠かせない。

　日帰りできないような施設に出かけることが健全な生活かどうか考えてほしい。トラやライオンがいなくても、羊やウサギといった小動物がいれば子どもたちは触れ合いを楽しむ。砂場一つあれば、子どもたちは山を作っては壊すなど何かして１日中楽しんでいる。

　かつて島根県出雲市斐川町には数十億円を投資した「いりすの丘」があったが、松江、出雲の中心地から離れすぎ、旧平田市（現出雲市）にあった一畑パークも象やライオンの飼育費など膨大な経費を要した。ともに集客のためのデザインが描かれておらず、経営難に陥ったといえる。

　ペンギンやシロクマの動きが水槽の下からのぞけるなど生態が分かる北海道の旭山動物園や、太宰府天満宮に隣接し、一般的には資料保存が使命の博物館で、その資料の公開が「売り」の福岡県の九州国立博物館は、ともに見せることや体験する工夫が凝らされており、集客に貢献している。コンセプトが明確にされていて、それを全面に出しているから規模が大きくても成功している。

松江市の市街地に、家族で楽しめる工夫を凝らし、お互いの相乗効果が得られるよう他の施設との共存も図るという明確なコンセプトで動物園を造成すれば、成功するはずだ。当然、やみくもに造るのではなく、松江市のグランドデザインを描いた上で設置する必要がある。

　資産が蓄えられれば、私自身が個人で整備しようと考えているほどで、行政や経済団体には機会あるごとに設置を要望している。子どもや親たちの明るく元気な姿は、それだけで活気を生むと信じている。

▌スポーツ振興支援

　米国は、企業経営者がステータスとして、スポーツチームのオーナーになるとか、文化団体・施設を運営する財団を設立するなどさまざまな形で社会に貢献している。日本では、まだ浸透しているとはいえないが、地域に感謝し、共に歩む姿勢を忘れてはならない。

　スポーツは、中学のときに部活動でバスケットボールに汗を流していたこと、親戚に全国クラスで活躍した選手がいることなどから、その素晴らしさ、楽しさ、一方で難しさを理解している。一人でも多くの青少年たちに親しんでもらいたいと願ってスポーツ活動を支援している。癒やしの空間を提供したいという動物園などアミューズメント施

設の夢とも通じる。

　地元プロバスケットボールチームのスサノオマジックで
は、スポンサー企業に加わり、相手チームの本拠地でゲー
ムを行うアウェーでのメインスポンサーになっている。選
手が着用しているユニフォームの胸に「オネスト」と大き
く書かれた社名が躍動する様子は、県外では強烈なインパ
クトを与える。

　スポンサー企業の多くは、地元での知名度アップの一助
にホームゲームでのスポンサーになるのが一般的だが、あ

オネストの女性社員とスサ
ノオマジックの佐藤公威主
将（当時、中央）＝島根県松
江市の本社

えてアウェーを選んだ。わが社が全国展開する企業として、各地でPRできるメリットがあるからで、営業活動に出かけた際、営業対象の企業がある都道府県にプロバスケチームがあれば、取っ掛かりの話題づくりに役立っている。

オネストがオフィシャルスポンサーをしているスサノオマジック。アウェーのユニフォームに「オネスト」の企業名が光る

　隣の鳥取県の大山で開催される女子プロゴルフ大会「LPGAステップ・アップ・ツアー山陰合同銀行Duoカードレディース」（2021年から山陰中央新報社が共催）もスポンサーになっている。私自身ゴルフが大好きで、LPGA（日本女子プロゴルフ協会）の小林浩美会長は、日立製作所がスポンサーだった関係で以前から知り合いだったこと、山

陰合同銀行とは、金融システムのソフト開発以来、長い付き合いをさせてもらっていることから、感謝の気持ちを込めて支援してきた。

　サッカーJFLの松江シティFCも、日立関連の後輩が社長をしていたことから、支援している。

オネストは松江シティFCも支援している。「オネスト」の社名が入ったユニフォームで練習する選手

▌教育・文化振興支援

　教育の向上、文化の振興にも協力している。高校生のときにのめり込んだ囲碁は、現在、日本棋院松江支部の理事をさせていただいている。その関係から日本棋院によって

2011年に招致された、唯一の世界大会である第32回世界アマ囲碁選手権戦島根・松江大会で協賛した。40回の節目となった19年の招致でも協賛したが、世界59カ国・地域から選手が集った。私は交流戦で、11年はマダガスカルの選手と、19年はアルゼンチンの選手と対局した。今後の招致でも世界に向けた松江のアピールに貢献していきたい。

　島根は、囲碁と縁が深く、江戸時代初期に活躍した4世本因坊の道策は、砂浜の海岸を歩いたときに「キュキュ」と音がする鳴き砂で知られる島根県大田市仁摩町の生まれ。道策の影響からか、島根は囲碁が盛んで、島根県立出雲高校は全国制覇したこともある。また、母校の早稲田大学は囲碁を正式な授業として単位認定している。

　わが社では社員やその子どもが、スポーツ、文化などで全国大会へ出場する際は、金一封を出して激励している。ペタンクの全国大会への出場も含め、今まで社員1人、子ども2人に激励金を出している。明るい話題は社内に笑顔があふれ、活気がみなぎることから、地元で開かれる野球などの各種スポーツ大会に社員が参加するのも奨励している。また、山陰両県の甲子園出場チームにも毎回、寄付をしている。

▎「新風」を起こすため経済団体で活動

　「ニュービジネスの風を起こせ！」

　ニュービジネス、IT関連の経済団体では役員や会員として、この言葉をキャッチコピーに積極的に活動に取り組んでいる。これも地域貢献の一つであり、第一次産業や第二次産業中心の今までの産業構造から脱皮し、新たな産業を育てようという一念からだ。

　新しいビジネスを生み出し、その推進・育成を支援する1989年設立の中国地域ニュービジネス協議会（中国NBC）では、2018年に副会長（島根支部長）に就任し、地域の「元気づくり」に取り組んでいる。協議会のメイン事業は、ニュービジネスを世間に紹介し、さらに大きく育てていくための顕彰制度「ニュービジネス大賞」の表彰。わが社も、2002年に大賞を頂いたが、島根県内ではキグチテクノス（安来市）、島根電工（松江市）、田部（雲南市）、中村ブレイス（大田市）、加地（奥出雲町）、エステック（松江市）などが受賞しており、いずれも全国で事業を展開する企業として羽ばたいている。

　中国地方の約500社が加盟しており、経験豊富な経営者や大学教授、公認会計士が、若い企業家・経営者に的確なアドバイスを行っているほか、異業種企業との意見交換会

や研修会、体験発表会、さらには講演会やセミナー、産学官の連携などによって、面白い“化学反応”を起こすきっかけづくりに協力している。2019年には「エンジェル投資家＆スタートアップマッチングイベント」を初開催し、5社がスタートアップした。

このほか、女性ビジネスプランコンテストなど、これからの経済発展に欠かせない女性が活躍するための基盤整備などにも取り組んでいる。

▍「創業塾」で起業家を育成

47社が加盟する島根支部は、講演会やセミナーを開いてきたが、2021年2月には、次代を担う学生や高校生を対象にした初めての「創業塾」を実施した。地元の若者たちに「創業は島根の発展に欠かせない」「新しいビジネスで島根に活力を」と創業について啓発し、志を植え付けようという試みだ。

企業の廃業数が起業数を大きく上回り、しかも公務員比率が全国1位という背景があり、これでは島根が尻すぼみになってしまうという危機感から立ち上げることにした。文部科学省のスーパーサイエンス高校に指定された地元の島根県立松江南高校で、生徒たちに講義をしたところ感心が高く、起業のダイナミズムに刺激を受けた様子だったこ

とから、開塾へ意を強くした。「鉄は熱いうちに打て」というが、「善は急げ」で島根大学などから了解を得た。

　講師は東京などの大企業の社長や学者ではなく、島根県内のNBC大賞を受賞した創業者らが担当する。身近であることで創業の意欲をより高めてもらいたい考えだ。

　第1回の講師として、中国NBC会長でITによる医療関連サービスを手がけるデータホライゾン（広島県）の内海良夫社長を招き、経営に必要な「人・モノ・金」など、創業者しか分からないことを伝えてもらった。会長の「生き様」を聞くことで、若者たちが「自分も将来起業して、地元に貢献する」という熱意を抱いてくれたものと確信した。

▌IT企業の人材を育成

　IT企業で活躍できる人材を育てるため、1990年に設立された島根県情報産業協会にも創立時から加盟。私は当初、広報を担当し、PR活動はもちろん、協会のロゴマーク策定なども行った。2011年からは副会長として、県内の情報化促進に努めており、組み込みソフトエンジニア育成講座を開催した。また、行政に掛け合い、ソフトウエアの研究開発費、販路開拓費の助成が得られるようにした。上部団体の全国地域情報産業団体連合会にも加盟し、情報交換などを行っている。このほか、日本のIT産業を世界に発信する

「Made In Japan Software&Service（MIJS）」コンソーシアム
の会員にもなっていて、人脈構築、製品の技術評価などを
行っている。

▍新製品を研究・開発

　実務面での将来展望は、ソフト研究開発センターでオリ
ジナルソフトの開発を強化しており、新製品を2021年に発
売、サービスを開始する計画だ。「ｅ商買」は製造業の調達
分野では抜きん出た存在だが、現在のユーザー数や製品内
容に十分満足しているわけではない。

　このため、まったくの新規分野ではなく、「ｅ商買」と関
連性のある顧客の満足度が高まるような製品開発を、名古
屋にある中堅企業と共同で取り組み、実現に向けて着々と
研究開発を進めている。

　中堅企業とは今後も各種分野で共同開発に取り組んでい
く方針である。一方、地元の島根大学など高等教育機関と
AI研究の連携も進めている。

　現在、研究開発している製品のようにAIを使った開発が
必須となり、後で述べるようにIoTに対応した製品づくりも
求められる。

　「未来に投資」というか、今は生産性がゼロでも、将来
はドル箱に育つ可能性を秘める製品研究も欠かせない。幸

い、資金的に余力を持てるようになった。研究開発は、技術と時間が必要だが、職場を見渡して、製品の開発に一段落した社員には、新たな研究テーマを与えて、次の製品開発に取り組ませるようにしている。

▎営業マンも理系の知識は不可欠

　営業マンは、文系出身者もいるが、本社、支店を問わず理系の学習もさせており、顧客に製品説明が詳細にできる「お客様ファースト」の体制にしている。営業マンが製品のメカニズムを理解しているのといないのとでは説明内容に大きな差ができ、相手の信頼度も間違いなく大きく違ってくる。

　今やIT企業は、営業でもSTEM（サイエンス＝科学、テクノロジー＝技術、エンジニアリング＝工学、マスマティクス＝数学）の基礎知識が必須といわれる。文系だから関係ないのではなく、顧客に限らず、社内のエンジニアとコミュニケーションを深めるうえでも欠かせない。

　アップルを創業したスティーブ・ジョブズが、文系と理系の両方の感覚を併せ持つ人物こそが普通の人が思いつかないような突拍子もない発想をする、と感じていたように、何か斬新なアイデアを生んでくれるのではないかと期待で

きる。そのジョブズ自身が両方を併せ持っており、独創性に富んだ製品のアイデアを出すと、実際の開発・制作は友人に任せ、製品プロデュースに才能を発揮させた。自らが考案したオンリーワンの価値のあるものは高価でも売れると確信してプレゼンテーションした。理系と文系の両方を兼ね備えていたからこそ、アップルを世界的な企業に成長させたのではないだろうか。マイクロソフトのビル・ゲイツも同じだ。

　この2人には遠く及ばないが、私も高校で電気を、大学では文学を学んだ経験が現在の活動に大いに役立っている。

▌理系と文系の本質は同じ

　「理系だ、文系だ」とよく言われるが、実は本質は変わらない。数学の本質は計算や公式などではなく論理的な思考力で、客観的な数字を使い、一歩一歩結論に導くこと。文系の読解力も、論理的に読み、理解し、書く力が求められるが、数学の証明問題と同じ。

　しかも、理系と文系はお互いに補完しあっていて、理系は、「AであればBである」とはっきりした答えが出るが、文系はさまざまな角度から人間社会や人間そのものについて理解していこうとする。補完的な役割は、例えばヨーロッパではルネサンス以降の科学革命、産業革命につながって

社会が発展してきた。人間は両者を備えているのに、マークシート、ゆとり教育など日本の制度が数学的な力を落としてしまった。「2億円は50億円の何％ですか」の問いに、私大文系の学生の2割は間違えて、ほとんどが「25％」と答える。単純に50を2で割るという。経団連が大学教育への提言で、数学の必修を主張するのもうなずける。必修化は極論かもしれないが、難しく考えることはなく、両方を備えているので、文系と思い込んでいる人も安心してほしい。眠っている理系の脳を少しだけ起こしてやれば、理系人間に変身できるはずだ。

▎海外に拠点を

　世界の製造業は、中国、タイ、ベトナム、マレーシア、ミャンマー、インドネシアなどアジアでさらに伸展することが予想される。このため、中期ビジョンとして、アジア圏の海外拠点をシンガポールに開設する計画を練っている。山陰地方に本社を構えて国内外に活躍している松江市の小松電機産業、鳥取市の日本セラミックなどをお手本にグローバル戦略を描いている。

　国内に東京支店を設けているのと同じ発想で、現地の声を反映させるとともに、メンテナンスも行いたい。東南アジアは40億人もの人が暮らすだけに、未知の魅力にあふれ

ている。

　近年は大学院の修了者、IUターン者など優秀な人材が入社するようになってきた。国を挙げてIT人材の育成に努めるインドから既にIT系大学の新卒２人を採用するなど外国の秀逸な人材もいる。海外展開の力強い戦力として派遣し、活躍してもらう。グローバル化を推進するため、今後も外国の人材を採用していくことにしている。ますますこれからが楽しみだ。

▎収支目標は明確に

　数字的には、近未来は社員が現在の60余人から100人に、年商は現在の８億円から最低でも20億円を目標に掲げている。将来的には300人規模で60億円を目指す。しかも、現在の利益率12.5％を維持するとともに、あくまでも本業であるIT事業での到達にこだわる。製造やサービスの業種でも数値目標達成のハードルは低くないが、IT業界での目標クリアは至難の業だからこそ、その達成感は何事にもかえがたい。

　また、M&Aで経営規模の拡大を図っていく。時代の流れのテンポが日に日に速まるなか、自社で全てに対応していくには時間がかかりすぎる。海外展開でも海外企業のM&Aが欠かせない。

▌「創造が未来をひらく」

　創業から25年目に入った2019年、経営スローガンを「あくなき創造への挑戦」から「創造が未来をひらく（Innovation Creates the Future）」に進化させた。とかく文化や伝統だけに頼ろうとする地域にあって、あえて新しいもの、中でも不毛の地だったIT事業に特化して「市場」と「製品とサービス作り」という両輪から創造に挑戦してきた。

　起業から25年を経て一定の評価を得たが、新しいスローガンを掲げたのは、四半世紀を振り返った上で、社業の方向性が間違っていなかったことを確認し、その延長線上を、令和時代を切り開く先駆者として突き進むため、AIやIoTを活用した新製品・新サービスを追求する新たな決意を示したかったからだ。オンリーワン企業をさらに高みに導くため、全社員とベクトルを同じ方向にして挑み続ける覚悟だ。

東京オフィスとのリモート会議に臨む社員。全社員が同じベクトルに向かい、挑み続ける＝島根県松江市の本社

第6章

世界を襲った
新型コロナと戦う

▎新型コロナウイルス感染拡大

　創立25周年の節目の年となる2020年2月10日、松江市東出雲町に本社・ソフト研究開発センターを新築・移転し、「さあこれから」と決意を新たにした矢先だった。1月末に、世界保健機関（WHO）が、中国の武漢市を基点に感染拡大が続いている新型コロナウイルスによる肺炎について「国際的に懸念される公衆衛生上の緊急事態」に該当すると宣言した。「もしや」と懸念していたが、2月に入ると国内でも各地でクラスター（集団感染）が発生し、死者も出た。島根県内では4月9日に松江市内で初の感染者が確認されると11日にはクラスター発生が認定されるなど、想定外の大惨事に発展した。

　学校は休校となり、不要不急の外出を控え、3密（密閉、密集、密接）を避けるよう、国や地方自治体が国民に呼びかけた。デパート、スーパー、飲食店などは顧客の足が遠のき、多くの企業で出社しないで自宅で仕事をするテレワークが増加。WHOは、3月11日にパンデミック（世界的大流行）の状態であることを表明し、日本では4月7日に「緊急事態宣言」が発令された。

　自動車工場などが次々と操業停止するなど地球規模で経済活動が停滞し、国内でも小規模事業所、外食産業などで倒産、営業停止などが相次いだ。

▌即座に危機管理の徹底

　わが社は、国内にコロナ感染が確認された2020年2月に幹部を招集した。

　新型コロナウイルスは、うつしても、うつされてもいけないため、わが社が採ったのは、第一に危機管理の徹底だった。災害、情報システムのトラブルなど不測の事態に備え、被害を最小限に抑えながら事業の継続や復旧を図るための事業継続計画（BCP）は既に策定して、訓練もしていたが、初めて実践することになった。

　感染リスクを抑えるため役員、従業員とも、それぞれ出勤と在宅の2組に分けるとともに、従業員は除菌担当も振り分けた。2週間交代で万が一に備えた。私も在宅の日を設けたが、会社のことが心配で、営業などは担当者と直接話をしなければ埒が明かないこともあり、実際には毎日のように出社した。在宅を想定して指揮を執る社長代行も置いた。東京で新型コロナウイルスの感染者が拡大する中、10人が勤務する東京支店も同様に、出社組と在宅組に振り分けた。本社では出勤者は濃密にならないよう、2、3人ずつが、社屋内にたくさんあるミーティングルームで製品開発などの作業を行った。ここで新社屋建設のコンセプトだった「どこの部屋でもソフト開発やプレゼン、オンライン会議ができる」が役立った。静かな環境で仕事ができる

ため、集中できて普段よりはかどったという声も多かった。

　一方、在宅での仕事は、幼い子や園児、児童のいる社員が多く、泣き声などで気が散って仕事が思うようにできなかったという声があり、申し訳なく思っている。今後の課題として解決策を探りたい。

　また、収束が見通せない情況にあり、在宅勤務の態勢を続ける必要があることから、「テレワーク手当」を新設した。家庭で使用する機器の電気代、冷暖房費代を補助するもので、テレワークによる充実度を上げてもらっている。

▊オンライン会議の活用

　国からは都道府県境を越える移動の自粛も呼びかけられた。このため、東京支店とはお互いが行き来することなくオンラインで結び、テレビ会議システムにより各種の会議や相談などを行った。

　顧客に対してもオンライン営業を行った。面談しながら製品説明や契約交渉を行い、製品のバージョンアップなどを面談で進めたいという会社も少なくなかったが、全てお断りしてオンラインで商談した。取引先は感染者の多い関東や中部、関西の企業が多く、感染のリスクが大きすぎて、担当の社員を出張させることはできなかった。オンライン商談では、製品のアピールが伝わりにくく成立に結びつか

ない場合も考えられる。次年度以降の売上額に影響して赤字に転落する恐れもある。しかし、感染者を出せばさらに経営全般に影響が出るとともに、社員の家族などへの危険度が増すことも避けねばならない、というトップとしての決断だった。

本社と東京オフィスなどと結んで行われているオンライン会議

　このほか、社内で感染者が出て、社屋が使えなくなる場合も想定し、松江市内に作業ができるオフィスを確保するという万全な体制をとった。
　結果論かもしれないが、本社新築の際、危機管理の視点からさまざまなことを想定し、大画面モニター、どこからでも電源が入れられるアクセスフリーデスク、オンラインシステムを整えたミーティングルームをたくさん設けてい

たのが、今回のコロナ禍対策には奏功した。

　コロナ感染の拡大が出始めたころに、大阪、名古屋などに出掛けていた社員もいて、帰ってきたら２週間の自宅待機も行った。感染者がいつ出ていてもおかしくなかったが、万全の体制をとったこともあって、とにかく大事に至らず、ホッとしている。

▎定期的にPCR検査

　感染防止のさらなる徹底に向け、県外出張者を対象に、10月から月３回の割合でPCR検査を実施している。当初から、関東以東は、東京支店に任せ、本社からの出張は名古屋までにし、なるべく公共交通機関を使わず、社有車やレンタカーを使うようにしている。商談も、可能な限りオンラインで詰めておき、対面は最小限の時間で済ませ、宿泊と飲食を伴わないように日帰りを原則としている。

　PCR検査は、月に３回に分け検査機関に検体を送るため、出張の日程によっては帰った直後のリアルタイムにならない場合もあるが、潜伏期間のこともあり、予防対策をさらに進めたものだと考えている。

▌明るく、元気に、前向きに

　BCPは、緊急時の対応や平常時の備えなど事業継続のために行動計画を立てるもので、東日本大震災をはじめ、最近の豪雨による水害、地震など大規模な自然災害の多発などによって、策定する企業が増えつつある。

　近年は、たくさんの部品を使う自動車産業に象徴されるように多種多様な企業が連携を取りながら一つの事業を行っていることが多い。今回のコロナ禍でも、中国から部品が入らなかったために生産ラインを止めざるを得なかったメーカーが多数あった。サプライヤーの事業停止は、原材料や部品を調達している企業の事業停止につながった。完成品メーカーは、消費者に多大な不安を与えて買い占め騒ぎが起きるなど社会全体のことを考慮しておく必要がある。

　「逆も真なり」で、BCPを策定して実践すれば、規模を縮小しても事業が継続でき、それが調達する側からの信頼を得ることになり、経済活動の維持、推進を果たしているということで社会的評価も高まる。

　さらに、策定の際、自社の業務内容の分析を行うため、事業内容の改善を図る契機となり、事業を見直すことで、企業の体質強化、企業価値の向上にもつながるというメリットがある。

残念なのは、山陰地方には意識が高くない経営者が余り
にも多いこと。当地は地盤が硬い地層が多くて大きな地震
が起こりにくく、近年は豪雨など自然災害の少なさにあぐ
らをかいていることがあるかもしれないが、本格的なグ
ローバル化の時代を迎え、海外からは想定外の事態も発生
する。特に、IT関係をはじめ、海外と取引している企業は、
世界中がつながっているという意識で危機管理に取り組ま
なければならないことを今回は痛感した。他人事ではない
という自覚が必要だ。

　行政の意識も薄いように感じる。例えば今回、社屋の除
菌対策をしようとしたにもかかわらず、行政に問い合わせ
ても対応してくれる事業者などの把握がなされていなかっ
た。

　今回のコロナ禍は、感染しても無症状の人もいたり、そ
れでいながら対処が後手に回れば死に至る可能性がある。
インフルエンザなどよりも強烈なウイルスが飛まつ感染す
る恐怖に見舞われ、世界中の人が生まれて初めて経験した
出来事。万単位の死者を出し「戦争」という表現をした国
もあった。

　わが社は2020年2月からコロナ禍対応に追われながら
も、新社屋・ソフト研究開発センターの竣工、25周年式典
といった大きなイベントはもちろん、4人の新規採用者の
入社式、優績社員表彰といった社内行事などをこなし、3

密への対応などで非常に神経を使った。

　そして、コロナ禍による暗い世相を吹き飛ばそうと、20年度のスローガンを「明るく元気に前向きに」と定め、入社式では、新入社員４人がこのスローガンのようにポジティブに行動することを誓った。

2020年度の入社式で新入社員を前にあいさつをする筆者＝オネスト本社

▌社員がよく戦った

　２月以降、社員はよく頑張ってくれた。仕事はもちろんだが、普段から清掃作業などをしてもらっており、段取り

を考えながらよくコロナ禍と戦ってくれたと感謝している。自分たちの会社だという愛社精神が強く、新社屋で働くモチベーションが高いからだと感じた。それでも、経営者への物心両面からの負担は重くのしかかったようで、私は５月の連休には体調を崩してしまった。数日間は、おかゆをすするだけの日々を送った。

　一方、2019年度はコロナ禍によって経営実績が大きく崩れることはなく、19年末まで好業績が続いていたことから、収支は増収増益だった。しかし、コロナ禍はどうなるのかの予想もできず、今期、来期は大幅な減収による、創業以来初めての赤字に転落する危険性もある。ここが踏ん張りどころだ。

　余談だが、従来の制度ではなく、コロナ禍に特化した特例措置制度の雇用調整助成金とテレワーク助成金の申請を行った。雇用調整助成金は業績が悪化し、休業手当を支給して従業員を休ませた場合に、その費用の一部を政府が助成するもので、中小企業は５分の４が助成された。

　また、テレワーク用通信機器の導入・運用、労働者への研修・啓発などに使った費用への助成が、働き方改革推進支援助成金（新型コロナウィルス感染症対策のためのテレワークコース）として特別に設けられたことから、申請を行った。

▌新型コロナ対策と「ニューノーマル」

　この新型コロナウイルスで、世界中が大打撃を受け、特に経済は完全に疲弊した。国内でも2020年夏から年末にかけて第２波、３波とみられる感染者が増加し、21年春には感染力の強い変異株のコロナウイルスが入り込み、第４波となって感染が拡大。その後の５波も予想されるため、不透明な先行きに不安を抱いている人たちも多い。しかし、約100年前にスペイン風邪が世界中で蔓延した際は、4000万人の犠牲者が出たが、人類の英知で克服した。今回の新型コロナウイルスは狡猾で、人体に忍び込み、治療して陰性反応が出ても再び陽性に転じる怖さを持っている。しかも、まだワクチンの接種が全国民に行き届いていないため、免疫力の弱い高齢者や基礎疾患の持ち主は、死に至る確立が高くなる。一度感染して免疫力を持てば、感染しない人が増え、ウイルスは滅んでいく、と集団免疫による予防策を説く専門家もいる。

　一方で、報道されている通り新型コロナウイルスの感染防止対策として不要不急の外出を控え、人が密集するデパート、商業施設、スーパー、コンビニなどへの買い物が減った。さらに、外食が敬遠されたためネット販売での「お取り寄せ」購入者が増加した。今までは電話かFAXで申し込んでおり、スマートフォン、パソコンを利用したことの

なかった高齢者のネット通販が増えたという。

　また、企業の本社内や支店、取引先はもちろん、教育関係でも、感染防止策の一環で登校を控える措置をとった多くの学校が、ビデオ会議アプリを使った授業を行い、家庭での学習で対応した。こうした環境の変化に対し、国は学ぶ側の機会均等を実現するため、大容量電波の普及、パソコンやタブレット端末の学校配備などの計画を急ぐことにした。

　また、地方自治体、民間企業の各種支援も欠かせない。通信網の整備が遅れている地域に居住するわが社の社員が、テレワークの際、容量の大きい図面などを送受信するのに膨大な時間を要した。これでは、新たな地域格差が生じる。島根県、松江市を挙げて通信会社にアンテナの早期設置の要望を行うべきだ。

▌ピンチをチャンスに

　コロナ禍が国民の意識に変化をもたらしたことは間違いのない事実だ。「災い転じて福と成す」ではないが、これを生かさない手はない。自宅で過ごす時間が増え、テレビゲーム、さらにはeスポーツの浸透も進む。在宅勤務制度は、トヨタ自動車が正社員や継続雇用の従業員向けの拡充を決めるなど、導入に向けた動きが各地で加速している。

松江市は、独自の支援制度を設けて在宅勤務を導入する事業所に機材の購入費などを支援したが、53事業者（2020年7月現在）が活用した。

「With コロナ」の時代だからこそ、独自のアプリを制作して提供することができるIT企業・事業者は、ビジネスチャンスだ。ネットは世界中につながっているだけに、運動指導やエクササイズのマニュアル、歴史や文化の講座、料理レシピなどは、インストラクター、講師のユニークさなどに反応があれば、無料でなく１カ月で１人100円とかの小額会員制でも、アイデア次第ではサラリーマンの月給を何倍も上回る収入を得ることが十分に可能だ。

ネット通販では、地域の特産品などに特化したサービスの提供だってできる。全国的にはマイナーな隠れた地方の商品や農作物が脚光を浴びることだってありうる。有名人の「お取り寄せ」などを思い浮かべてほしい。島根県出雲市の小さな蒲鉾店の「おさかなチップス」が、グーグルの英国オフィスでおつまみとして使われている例もあり、ボーダレスの時代は何が起こるか分からない。

要は、「やるかやらないか」。

国内のAI（人工知能）導入企業は、情報処理推進機構（IPA）の調査によるとわずか4.2％。利用を検討しているの

も10.5％にとどまっており、裏を返せば、ベンチャー企業などに大きなチャンスが隠れているといえる。島根県特産のブドウは、2020年度、AIによる栽培実験が農林水産省所管の農研機構から「スマート農業技術の開発・実証プロジェクト」に採択され、２年間の実験をスタートさせた。

　リモートワーク（遠隔勤務）の普及で、地方のベンチャーが、大都市に拠点を置く投資家、大企業とオンライン面談だけで出資を受ける事例も増加している。

　さらに、東京一極集中を避けるため、地方回帰の流れが加速すれば、専門的な知識や技術を持つ、都会地の人材が地方へ移住する期待が膨らむ。国はこの人材を地方企業に紹介する「プロフェッショナル人材事業」で本年度、全国の人材戦略拠点（島根の拠点は、しまね産業振興財団）に職員を倍増してマッチング効果を高める事業などに取り組んでいる。

　これらの流れは、求めても得られるものではなく、天からの授かりものと受け止めるべきだ。残念ながら新型コロナの影響で休業、廃業に追い込まれた事業所もあり、コロナ禍がいつ収束するのかも見通せない。しかし、日々の暮らしに食料品や衣類、日用品などは欠かせない。また、収束すれば必ず世界中の消費が拡大する。外出、買い物を控えてきた反動が起こる。即座に事業が起こせなくても「いざ鎌倉」の精神で、臨戦態勢だけは整えておきたい。この

初動の差が、事業の成否を決める。

第7章

幼少期～学生時代

▎やんちゃな理系少年

　1954（昭和29）年、島根県出雲市に南接する島根県簸川郡佐田町（現出雲市佐田町）で、農家の次男として生まれた。出雲市中心部から曲がりくねった細い道を車で30分ほど走った山の中の集落だ。旧家だったが、父が炭焼き、農業、サラリーマン、町議会議員などをして生計を立てており、決して裕福ではなかったため、子どものときから大学への進学は諦めていた。

　理科や数学、図工が好きで、小学１年時には、人生で最

旧簸川郡佐田町（現出雲市佐田町）にある生家。2005年ごろ撮影

初の設計図となる水鉄砲の作り方の図面を描いた。

　中学生になると、親元を離れ、寮生活を送った。町内の中学校が統合され、周辺町村にはないスチーム暖房の立派な３階建て校舎が建設された。スポーツ振興のために運動能力の高い生徒は寮生活を送ることができた。厳しさのあまり、１学期で自宅通学に戻る生徒が多い中、卒業までの３年間を過ごした。真面目一筋ではなくやんちゃな面もあったが、集団をまとめる能力があったのか、３年生になると寮生の部屋割りを任せられるほど学校側や寮生から厚い信頼を得ていたように思う。

　教科では、ほぼ満点を取っていた理科のテストでケアレスミスをしたことがあった。担任教諭が「どうして100点が取れなかった。どうかしたのか」と心配してくれたほど理系に強かった。また、３年時には部活で理科研究会の部長も務めた。

　当時、ビートルズが大流行して周りではギターを弾く友だちが多かったが、私は鉄道模型に興味を持った。欲しかったが高価で購入できなかったため、それならばと自分で製作した。レールは角材を使い、銀紙を巻いた。銀紙は電気を通すため。型紙に色づけした電車はパンタグラフの代わりにリード線で電源を得て、マブチモーターを駆動させた。曲がったレールで曲線を作ってつなげる必要があっ

たが、角材にたくさんの切れ目を入れて曲げた。銀紙を巻けばちぎれることがなく、型紙の電車を周回させることができた。

　子どものときは、漫画本が大好きで、月刊漫画雑誌3冊を購読していた。戦闘機の空中戦を題材にした「ゼロ戦レッド」「紫電改のタカ」「伊賀の影丸」などを読みあさった。今思えば、日本は敗戦国だけに、戦闘機の性能では負けていなかったことを訴えたかったのかもしれない。テレビでは、アクションドラマの「キイハンター」や「バックナンバー333」などが好きでよく観ていた。かっこよかったし、悪いことをしてはいけないという勧善懲悪の意識が育てられた。

▌電気理論はほぼ満点

　高校は、地元に普通科の分校があったが、出雲市に出たい一心で父親に頼んで島根県立出雲工業高校の電気科に進み、ここでも親元を離れ下宿生活を送った。どこの工業高校も就職に有利な電気科が人気で、進学校並みの偏差値が必要だった。大学進学を諦めていたため、まったく高校受験の勉強をしなかったところ、ビリに近い点数での合格だった。内申書と大きな相違があるということで、担任に父親

が呼び出された。父もびっくりしたようで、「勉強しなさい」と初めて言われた。これで多少は真面目に学習し、最初の中間試験で５番の成績を収めた。高校時代、得意な電気理論は常に満点に近く、音楽以外は概ね好成績だった。

　趣味は、といえば囲碁だった。授業中に電気理論の担任から教えてもらった囲碁を楽しむため、囲碁が好きな仲間を募って日本棋院出雲支部の道場に通った。奥が深いため、当初は７人いた仲間が少しずつ減っていったが、大人に交じって腕を磨き、出雲市の大会で準優勝するほどにメキメキ力をつけた。ただ、頂点を狙っていただけに、優勝できなかったことは、人生で最初の挫折だったのかもしれ

県立出雲工業高校電気科の同窓会。前列右から　２人目が筆者。左端が常務の大塚勝君。後列左側から３人目が恩師の小村優校長先生。後列左から５人目が元東京支店長の佐貫公徳君＝2000年ごろ、島根県出雲市内

ない。囲碁は、定石からの展開を理論的に考える思考回路を育み、結果として現在の会社経営に役立っている。

　高校時代は国家資格の電気主任技術者の試験にも挑戦した。合格率は8～9％と狭き門だったが、自信があった。ところが、試験問題を早とちりしてしまい、不合格に。囲碁大会に続いて挫折を味わうことになった。

　就職については、島根県立出雲工業高校は、以前から三菱電機、松下電器（現パナソニック）、中国電力などに学校推薦で合格していた。私も、学校側が中国電力に推薦してくれようとした。一方で東京に出て生活してみたいという憧れがあった。父が「東京は日本の中心。東京に出て、初めて地域のことが分かる」と背中を押してくれたことも、意を強くした。

　東京での就職は、東芝やNECも選択できたが、家電メーカーでは、工場勤務の可能性が高かったため、ビジネス戦略にたけ、コンピューター一筋の先進性から富士通に決めた。

　本社でシステムエンジニアとして働くことになり、物流の革命的システムとなるPOS（販売時点情報管理）システムの開発に関わった。後発の富士通は、白物家電などを製造する総合電機メーカーと違い、コンピューターと交換機が中心のメーカー。電気理論に自信があり、POSの開発は難しくないだろうと高をくくっていたところ、周りの若手

は大学卒業者が多くを占め、英文の専門書も読みこなさなければならず、高卒として肩身の狭い日々を送った。

▎大学目指し富士通退職

　「高学歴の理系出身者に負けたくない。富士通で学力が必要なことを思い知らされ、一念発起して大学に進学することを考えた」。今まで多くの取材に対し、表向きの真面目な理由を述べてきた。しかし、定年までサラリーマンをやる気はなく、せっかく花の東京で暮らすのだから、４年間の学生生活を謳歌したいという不純な気持ちがあったことは否めない。あわよくば、小説家になりたいという夢もあった。

　この「遊びたい」という気持ちが抑えられなくなった。私は、富士通で尊敬していたPOSコントローラー開発の高橋統括班長に「会社を辞めさせてください」と申し出ると、「高卒というコンプレックスがあるのなら、自社が運営する富士通高等専門学校に進学して学歴を高めては」と引きとめられた。その２日目は、高卒だった班長も加わり、２人で「昼は予備校に通い、夜の勤務でもいいから」と思いとどまるように説得された。社員３万人の大企業が、こんな若造でも大切に思ってくれている気持ちは嬉しかったが、大学に進みたいという決意は変わらなかった。

高校を卒業して上京し、富士通に入社したころ、先輩たちと筆者（写真2列目の右から2人目）。後列左から3人目が尊敬していた高橋統括班長＝1974年、神奈川県の富士通箱根山荘

　そして3日目には一転、約20人の班全員で送別会を開いてくれた。酒席で「どこの大学に進みたいのか」と問われ、思わず「早稲田です」と答えてしまった。高橋統括班長が早稲田出身だったことから出た言葉だが、公言したことで、もう引くに引けないという大きな目標となった。

▍早大に進学

　富士通を1年余で退職し、浪人生活を始めた。10月の後期から大学進学予備校に通ったが、最初の英語テストで16

点しか取れないなど、ついていけず、独学で受験勉強することにし、必死で問題集を解く日々を送った。勉強時間は最低でも1日5、6時間で、徹夜状態のことも多かった。

　ところが、受験シーズンを前に耳鳴りに襲われるなど体調を崩し、追い上げができなくなった。それでも何とか早稲田大学第二文学部に合格できた。小説家へのあこがれもあって文学部への進学を決めた。理系から文系への転身だが、仕事をするようになって、大いに役立つことになる。

　早大に入学すると、当たり前のようにマージャンの誘いを受けた。ルールは1回で覚えた。高校時代に囲碁に没頭していたが、マージャンは知らなかった。

　富士通でコンピューターの基礎を学んだが、コンピューターは2進数が基本であることが、マージャンの点数計算に役立って、すぐに理解できた。

　すぐに腕をあげていった。これが苦い思い出につながった。同級生と卓を囲んだとき、パイを早く切らない相手に「遅いなあ」と言っただけで雀台を卓袱台返しされた。彼は、佐賀出身の九州男児だった。北海道や九州、福井、長野、秋田の出身がおり、全国に友人が広がり、現在でも東京や福井、北海道の同級生とは交流を続けている。

　マージャンは現在に至るまで頭の体操も兼ねてやっているが、2020年のコロナ禍の中では1年以上パイを握っていない。

当然、実家からの仕送りはなし。入学金は10歳年上で東京の設計事務所に勤める兄が出してくれたものの、学費や生活費は自分で工面しなければならなかった。カセットテープの英語教材販売といった営業、飲食店など、生活のために子どものころからやりたくなかった業種のアルバイトに明け暮れた。3年生になって、求人誌で見かけた若者の街・渋谷にあったコンピューター関連会社へ履歴書を出した。その後、渋谷はインターネット関連のベンチャー企業が集積し「ビットバレー」と呼ばれるようになるが、当時はIT企業の走りだった。面接で、富士通に勤務していたという職歴を見たベンチャー経営者が「是非、来てほしい」と嘆願。その日の夜に歓迎会が開かれるというスピードで採用された。

▎アルバイトだが、経営を仕切る

　IT企業ながら、経営者は文系大卒の青年実業家で、部長も文系の大卒者。経営陣にコンピューターの専門家がいないうえ、数字に強い役員がいなかったため、経営が行き詰まっていた。そこで、見るに見かねて「全権を任せてほしい」と申し出て、アルバイトながら経営を仕切ることになった。金融口座がたくさんあったため、融資のことなどを考えて金融機関を一本化した。出社時間の午前9時を守

らないで9時半ごろに出てくる古参社員には、時間厳守を徹底させるなど、先輩社員であろうとも、労務も厳しく管理した。わずか1年で借金の大半を返済した。再生させると、アルバイト先の社長と新会社を設立し、共同経営した。このとき、会社を立て直す術よりも、いくら人が善くても甘い話に乗るとか、どんな事業でもずぶの素人が運営するなど「会社はどうしたら経営がだめになるのか」を学ぶことができた。

当時、国産コンピューターの開発・生産が推進され、世界のIBMに対抗して、富士通、日立、東芝、三菱、NEC、沖電気工業などがしのぎを削るという高度情報化時代が到来していた。共同経営の会社は順調に育ち、社員も20人ほどに増えた。結局2年間、その会社に役員として身を置いた。

▌不思議な体験

人生を重ねる中で、誰でもさまざまな体験をするが、学生時代に狐につままれたような経験をしたことがある。

東急目蒲線（現・目黒線）の田園調布の隣駅にある奥沢駅に住んでいたが、よく行く駅前の焼き鳥屋で、スーツ姿の紳士と隣り合わせたところ、ビールを勧めてきた。名刺も指し出され、某大手不動産の社長とあった。田舎者をだ

まそうとしているのでは、と用心したが、品格があり、うそではないようだった。社長の家まで誘われた。お言葉に甘えて家に上がると、社長は娘がいることを告げ、「箱入り娘で何も知らない。付き合ってやってほしい」と言われた。

　娘は父の呼び出しに応え、応接間に三つ指をついて現れた。超美人で「夢では」と信じられないほどだった。生活環境が違いすぎることもあり、付き合うことにはならなかったが、帰り際に「苦労しても、卒業だけはしておきなさい」というその社長の言葉だけが心に残った。会社経営に関わり、あまり大学に行っていなかったことを気遣ってくれたようだ。

▌小説家の夢は断念

　勉学の方は、1、2年のころは真面目に取り組んだ。一般教養は生物、宗教学など、専門では産業組織論などに興味を持ち、雑学も身に付けた。ゼミは、担当教官が芥川賞の登竜門とされる群像新人文学賞（講談社）の審査員をされていて、卒論で小説に挑戦した。しかし、才能がないことを自覚し、小説家になることを断念した。卒論には評論を選び、絶筆となっていた夏目漱石の「明暗」の続きを書いた。あまり大学に通っておらず、評価は高くなかったよ

うに記憶している。

　会社経営に全力投球したため、大学は１年留年したが、25歳で卒業すると、富士通の関係会社に身を置いた。パソコン本体のハード部門ではなく、ソフトウエアの開発に関わった。コンピューターを使って設計するCADシステム、英文ワードプロセッサーの開発に携わったが、当時、IBM対国産は、社員１人に対して５人の能力差があると言われており、コンピューター業界の過激な情報が渦巻く東京で、「追いつき、追い越せ」を合言葉に精進する日々が続いた。

▌大好きなIT一筋で

　ところが26歳のとき、故郷の父が倒れた。兄は東京で設計事務所に勤務していたこともあり、次男だった私がUターンして家を継ぐことにした。いざ帰ったものの、公共職業安定所（現ハローワーク）に出向いても、山陰でコンピューター関連企業からの求人はなかった。松江市と出雲市にコンピューター関連会社がある程度で、ましてや中途採用をする会社などまったくなかった。

　「給料は安くても倒産せず、安定した公務員が一番」という土地柄だけに親せきなどから公務員試験を受けるように勧められたり、金融機関に世話をしようとした人もいた。しかし「大好きなソフト開発の経験を生かし、あえてコン

ピューター関係一筋でやりたい」とすべての誘いを断り、
ITの道に進むことに迷いはなかった。

　そうするうち、偶然にも山陰地方への進出をうかがっている広島市のコンピューター関連企業が、求人を出しているのが目に留まった。面接で広島の本社勤務を求められたが、これでは何のためのUターンか分からず、松江から離れられないことを伝えた。すると、面接官の常務から「松江事務所を開設して山陰にエリアを広げたい。東京で企業経営の経験もあり、任せたい」と決断してもらった。所長として勤務することになり、地元社員の雇用、技術、営業まで全て任せてくれた。

　エリアは、島根県西部の山口県と接する益田市から、鳥取県中部の倉吉市まで東西に延び、とても広かった。2階建て以上のビルというビルに入居する会社は全て回ったが、まったく注文を取れなかった。しかし、訪問先の会社でコンピューターを入れていても、コンピューターのメカニズムに素人の営業マンに勧められて購入したものの、稼動させていない事業所が少なくなかった。コンピューターのことを知っている自分にはアフターケアも含めサポートできるのが強みだと気づき、「勝てる」と確信した。しばらくすると、飛び込みで入った島根トヨタ、パナソニック松江と取引ができた。ハードウエアを使えるようにサポートして

もらえるという「信頼」が大きな武器となった。希望を捨てなくて良かったと心から思った。

　さらに拾う神が現れた。地方銀行の融資オンラインシステムの構築に関わることができた。その後、33歳で日立中国ソフトウェア（現日立ソリューションズ西日本）に転職したが、引き続き、総合オンラインシステム、自動機集中監視システムの開発などに加わることができた。金融の世界はまったくの素人だったが、銀行業務の仕組みを死に物狂いで学習した。ソフト開発には自信があっただけに、システムを組み上げて、オンラインの稼動に結びつけること

金融機関のシステム開発をしたころに日立製作所のシステムエンジニアたちと。
前列右端が筆者＝1988年

ができた。

　このシステムは画期的な内容だと自負している。30年以上前に既にAI（人工知能）を取り入れて「AIを活用したソフトウエア開発における進捗管理システム」を考案し、地方銀行協会のソフトウエア部門の金賞を受賞した。また、勤務する日立中国ソフトウェアからは「全銀手順テストシミュレーターの開発」ということでソフトウエア部門の社長賞を受けた。思いがけないご褒美だった。

　さまざまな金融システムの開発に関われたことは、後にオネストの主力製品となる「e商買」のシステム構想の際に、大きく役立った。

　そのころ、昼夜を徹しての開発で、ハードワークのつけが回り、内臓疾患になった。食欲が減退して体重が激減し、労働意欲もなくなった。35歳だった。広島市の本社に転勤するように配慮してくれたものの、再度何のためにUターンしたのかと自問自答した。「故郷の島根に若い人の定着を促進するため、夢は松江に動物園、遊園地などのアミューズメント施設をつくること」と思い返した。そして、退職を決意して松江市での就職を考えた。

　そうはいっても、IT業界での職はそう簡単にはなく、地元では流通大手の山陰ジャスコ（現イオン）なら将来は、アミューズメント施設も提案すれば設置してくれそうだ、

と勝手に思い込み、採用試験を受けた。

「下働きでもいいですか、月給が17万円でもいいですか」と人事部長が気遣ってくれた。結局、入社を辞退することになるが、松江市で働くことが絶対条件だっただけに、役職や半分ほどになる給与は二の次だった。

▌経営参加

「天才エンジニアといわれる青年たちと一緒にIT企業を経営してみないか？」

山陰ジャスコの採用通知が届いたちょうどそのときだった。医師をしている同級生から紹介があり、「一度会ってみては」と勧められた。その青年は、1980年代の終盤から世界を席巻していたマッキントッシュ（米国アップル社製。通称マック）を自在に操っていた。私自身が金融システムを構築するころに、操作性などマックの優秀さを認識していただけに、その青年のスキルは「すごい」と感じた。ITで島根を変えたいという夢に近づくと信じ、山陰ジャスコには断りを入れ、島根県大田市に本社を置くそのIT企業への入社を決意した。1992年だった。

しかし、早大理工学部卒の優秀な社長、国立大出で発想が豊かな専務でも、IT業界で生きていくためのコンピュー

ターの知識が乏しかった。しかも、パソコンは売れていたものの、経営的なセンスに欠け、経営内容は明らかに債務超過だった。このままでは会社の存続が危うくなると判断した。そこで、専務を社長に、社長は会長に退いてもらい、私が常務として製品開発やシステムの販売を仕切らせてもらった。

　経営を安定させるためには主力製品が必要だった。そこで、アップルコンピューターに特化したDTPシステム（編集作業を全てパソコンで行う出版様式）の販売を行った。その操作マニュアル本はもともとあったが、分かりやすく編集・構成したマニュアル本を出版したところ3万部を販売するベストセラーとなった。また、アップル用の経理ソフトも考案した。全国に向けて販売展開した。

　私自身がITに詳しかったこともあり、その知識と経験を生かして顧客の心をつかむことができた。しかも前にいた会社で営業の経験があったことから、マニュアル本との相乗効果もあって、アップルのコンピューター販売台数は中国地方で常に個人成績の上位をキープした。

▌退職を決意

　一方、当初から経営が不安定だと感じてはいたが、県のバックアップ、金融機関の支援、政治的な配慮などがあり、

会社は存続した。常務という立場もあって、どうにかしたいと思いながら4年が経過した。しかし、ここでやっていくのは限界だと判断して会社を去ることにした。夢の実現に向けて裸一貫での起業に挑戦することにした。第1章で述べた「オネスト」の創業だ。

最終章

「やりゃ、できる！」

▌島根の実態

　今まで述べてきたように、ITにこだわるのには次のような背景がある。島根は国からの交付金に一番依存している財政難の県で、高齢者の割合が全国トップクラスにある。働く人に占める公務員数は全国でも上位で、産業に乏しく経済活動の各種指標は下位に沈んだまま。一方で、合計特殊出生率※1が全国の上位にあり、子どもの医療費が無料の市町村が多いなど子どもが育てやすい生活環境が整い、宍道湖・中海、国宝松江城、出雲大社、石見銀山など自然、歴史、文化に恵まれている。

　何もネガティブキャンペーンを張っているわけではなく、オネストが本社を置く島根県を俯瞰すると、経済的魅力に乏しい姿が浮かび上がる。出雲大社の名前は知っていても日本地図で島根県がどこにあるのか分からない人も多く、現状を認識していただくと、起業してオリジナルパッケージソフト「e商買」を手がける私が「故郷を何とかしたい」との思いで挑戦していった理由が分かっていただけるはずだ。

　島根に限ったことではなく、隣接する鳥取をはじめ、青

※1　**合計特殊出生率**／1人の女性が出産可能とされる15歳から49歳までに何人の子どもを産むのかの数値。

森、秋田、岩手、高知、宮崎など全国の弱小県は同じような状況下にある。「田舎では何もできない」と諦めないで前向きに進む意識を強めてほしいため、あえて鞭を打っていることを、お許しいただきたい。

　自治体の財政力を示す値として、財政力指数がよく使われる。自治体を運営するのに必要な経費に対して自前の収入がどれくらいあるのかを示す数値で、自主財源の割合が高いほど財政力が強く、1を超えると普通地方交付税の交付を受けない。この指数で、島根県は常に最下位にあり、裏を返せば交付金の依存度が日本で一番高い県といえる。

　人口1人当たりの交付額は2015年の場合、全国平均が13.68万円なのに対し、島根は48.92万円と最も高く、高知、岩手、鳥取が上位の常連県となっている。

　65歳以上の高齢者数、学校数や教職員数、農業就業人口などと正の相関性があり、生産年齢人口、最低賃金とは負の相関が高いとされ、都市と地方を区別する典型的な指標といえる。

　県、市町村、教職員などの地方公務員数（2016年）も人口100人当たりの全国平均が1.99人なのに対し、3.20人と日本一。やはり高知、鳥取などが続く。森林面積と正の相関性があり、中山間地域では自治体や学校の統合が難しく、全国の地方公務員の4割は教員が占めていることもあって、高い数値となっている。

65歳以上の老年人口割合は2018年度が全国３位、65歳以上の世帯員のいる世帯割合も３位など高齢県であることを示す数値がトップクラスにある。総農家数は全国31位にありながら専業農家数が40位で、兼業の小規模農家が多いため生産農業所得も41位と低い。一方で、県民所得は一人当たり34位（2016年）で2006年の37位からわずかずつではあるが、上昇傾向にある。地方公務員の平均給与も30位台である。

　また、経済基盤では労働力人口が2019年調査で全国44位と少ないこともあり、県内総生産額、実質県民総所得、２次産業・３次産業の事業所数や従業員数など軒並み40位台に位置している。

　国や県が発表するデータは、さまざまな角度から捉えられるが、島根を代表例として現状を直視することで、地方が危機的状況にあることに目を覚まし、天と地がひっくり返るような意識改革と同時に政策転換をしなければならない時期にきていることを自覚していただきたい。

▍地動説で知恵を出せ

　かつて、太陽が地球の周りを回るという天動説が信じられ、地球が太陽の周りを回るという地動説を説いたコペル

ニクスの考えは否定され続けた。しかし、科学的な根拠で地動説が信じられるようになったのと同様に、島根県内の経済政策は「お上に任せておけばいい」という天動説は通じなくなり、「県民１人１人が知恵を絞らなければならない」という地動説での取り組みが、県民を乗せた「島根丸」を沈没させないためのカギを握っているといえる。

　島根県が発表した2019（令和元）年度の「商工労働行政の概要」では、それぞれの分野でのポイントとなる事業の充実強化を掲げ、インバウンドの誘致、先端金属素材の研究開発事業、AI（人工知能）、IoT（モノのインターネット）といった次世代技術への対応、人材確保・育成の支援などに取り組むとしている。

　先端金属素材の研究開発事業は、内閣府の地方大学・地域産業創生交付金を18年度から５年間にわたって活用している。英国オックスフォード大学などと連携し、島根の産学が培ってきた特殊鋼に象徴される素材分野の強みを生かし、島根大学にグローバル拠点を創設して「超合金」の研究開発を進めている。島根の伝統的な鉄づくり「たたら」にあやかった「次世代たたら」と銘打っていて、産学官金が連携し、航空機産業、モーター産業に絞った研究開発と高度専門人材の育成を目指している。これこそ他府県が追随できない図抜けた事業といえる。

一方、インバウンド対策は、国を挙げて取り組んでおり、都道府県がしのぎを削っている。人材確保・育成なども、どこの自治体もあの手この手で強化している。個性に乏しい東京で考えた国の補助事業などを実施しても、同じ土俵で相撲を取らなければならず、財政力が弱く、少子高齢化が進んだ人口の少ない地方では勝てない。

　行政批判をするつもりはないが、2019年度の島根県予算は、「しまねIT産業振興事業費」「起業家育成・支援事業費」とも前年度比でマイナスになった。これからは、島根が最も力を入れなければならない事業でもあるはずで、増額こそしても減額すべきではなかった。

　島根県内の民間事業所数は1986年をピークに減少し、従業員数も96年ごろをピークに減少傾向で推移しているが、有効求人倍率は全国平均を上回る水準で推移し、2019年は1.68倍となっている。需給ギャップは13年からマイナスに逆転し、その差が広がっている。このため完全失業率は男女とも全国で1番低い。

　女性の就労率は、県が出産後の職場復帰を促進する事業を実施していることもあって高く、共働き世帯の割合が全国の上位にある。島根の女性は残業時間も多く、2015年の場合、月8時間と全国16位で、月額現金給与は全国31位（男性40位）。1人の女性が生涯に何人の子どもを産むのか

を数値にした合計特殊出生率が全国3位（2017年）と高いことから、子育てしながら必死に頑張るお母さんの姿が浮かび上がる。

民間調査機関による労働時間、やりがい、ストレス、休日、給与などを総合的に判断した「女性社員が働きやすい都道府県ランキング」によると島根は残念ながら下位にあり、息抜きに家族でどこかへ出かけるという余裕が少なく、その受け皿となるアミューズメント施設がないという寂しい現状もある。

余談だが、第5章で述べたように私の夢は「動物園などのアミューズメント施設を島根に造ること」。松江市には花と鳥の楽園「フォーゲルパーク」があるが、身近なウサギやヤギ、羊といった小動物と気軽に触れ合え、心が癒やされる楽しい施設を造りたい。

交付税や補助金に頼る時代は終わった。全島根県民が「変わるんだ」という意識を芽生えさせない限り、島根は衰退の道を歩むだろう。今、発想の転換を図り、新たな進むべき道を明確にしなければ、人口減少がさらに続き、国立社会保障・人口問題研究所が推計する2040年の島根県人口52万1000人が現実のものとなってしまう。

地方が消えるということは、多くの県民がよりどころとする古事記や出雲風土記に残る歴史、各地に根付く文化そ

のものも子どもや孫たちに伝えることができなくなり、廃れていくことを意味する。

▌捨てたもんじゃない

　「代々続く暖簾(のれん)を守っていればいい」「変わらなくても今の仕事で食っていける」

　県民性として、島根県民は変化を求めたがらないとされ、2018年度は経営者の高齢化などによる廃業率が、後継者難もあって3.2％。一方の起業率は3.0％と、近年は廃業率が上回る状態が続いている。このため、事業所数、従業員数とも年々減少している。

　しかし、合計特殊出生率が高いということは、将来を担う子どもたちが育っているという証であり、有効求人倍率の高さは、働く場所がたくさんあることを意味する。

　島根県は、面積が全国19位と広く、一方で人口は46位。東西に細長く、離島があり、道路網のインフラ整備が遅れている一方で県営空港が3カ所もあり広大な北海道以外の府県では考えられないような充実ぶり。しかも県東部に位置する人口約7割の出雲地方と、約3割の県西部の石見地方に、人口差はあっても箱物は差がつかないよう同規模の

施設を、石見の振興も踏まえて設置してきた経緯がある。

　その石見地方で、A級グルメの町を標榜する島根県邑智郡邑南町は行政の熱意もあって、都会地の大学生らが地域おこしに参加するなど、UIターンの若者が移り住む流れができた。数年前は、県内唯一の人口の自然増もあった。島根県の隠岐島の海士町も行政が主体となって町づくりを仕掛け、児童生徒と都会地の学生との交流事業、漁業振興などで全国の注目を集めている。

　民間企業も東高西低で石見地方が弱いが、島根県益田市に本社を構えるホームセンター「ジュンテンドー」は西日本を中心に全国展開し、「MDS（益田ドライビングスクール）」はユニークな運営方法で全国から教習生が集まっている。

　一方、出雲地方でも、自動シャッターを武器にする「小松電機産業」、電子・自動車部品の生産設備を開発製造する「島根自動機」、加工機械メーカー「エステック」（以上、島根県松江市）、パスチャライズ牛乳の「木次乳業」（同県雲南市）、EXGELなどを開発・製造する「加地」（同県奥出雲町）、航空機産業に挑戦する「キグチテクニクス」、特殊鋼加工の「守谷刃物研究所」（同県安来市）など地元で起業して経営規模を拡大し、全国区で戦っている企業は多い。いずれも創業者の独創的なアイデアを発展させた経営が功を

奏しており、方向性が間違っていなければ少しずつ実績を積むことで全国展開できるという証といえる。

　「今やらねば　いつできる　わしがやらねば　だれがやる」

　アシックスを小さなスポーツシューズメーカーから世界のスポーツ用品メーカーに育て上げた鳥取市出身の鬼塚喜八郎氏が口癖にしていた言葉だ。

　新元号「令和」を迎え、新たな気持ちの今こそ、一打逆転のチャンスといえる。交通インフラに左右されないITなど新たな産業振興に向かい、退路を断って「新たな産業を創造する」という目的を持ち、強い意志で前進するときにきている。

　行政頼みの「当たり前」な事業や施策ではなく、まず目的を明示した小さなヨットに乗り込むことだ。風雨にさらされながらも自らが帆を操って大海原を航行する次代を担う若者らの勇気や気概が、少子高齢化や過疎といった田舎の代表格である島根をはじめ、朽ちようとしている全国の地方を再生させる原動力となり、「令和の国づくり」につながると確信する。

　「何も出来ない」と諦めるのではなく、可能性を探れば、

光が差し込み、アプローチ次第で新たな事業を成功に導くことができる。大量に発見された「銅剣」「銅鐸」に代表される青銅器、砂鉄と薪による「たたら製鉄」、「心御柱」に代表される出雲大社の建造など、島根県民にはさまざまな高度技術のDNAもあり、「捨てたもんじゃない」と夢や希望をもってITを軸にした明日を開きたい。

▍急速に進化を続けるネット通信

　ネットワーク通信の急速な進化は、地方のIT企業にとって、大きなチャンスといえる。時代は、高速で大容量の5G（次世代移動通信）と、省力と低速ながらエリアが広く、廉価なLPWA※1（ローパワー・ワイドエリア）を駆使して、さまざまな活用が考えられる新次元に向かっている。この先に何が埋もれているのか誰も分からず、世界のITを牽引するGAFAでさえも次の答えを見つけ出せていない。この10年ほどの間に、交流サイトで先発のツイッターを、後発のフェイスブックが抜き去ったように、どんなツール（道具）が出現して、どう使われるのかも分からない。

　しかし、未知の世界だからこそワクワク感が高まり、何

※1 **LPWA** ／低電力で広範囲をカバーする無線通信。電源確保が困難な場所や、電池交換を極力避けたいようなIoTの活用に適している。

かを創造しようという意欲が強まる。創造力こそが未来を
切り開いていく。ディープラーニング（深層学習）による
AIの進化や、生活に関するすべてのものにつながっていく
IoTの進歩は、日進月歩の医療技術、車の自動運転技術、少
子高齢化に対応した自治体の行政サービスなどへの応用に
不可欠となった。車では、既に空飛ぶ自動車の開発競争が
起きており、トヨタ、BMWなどの自動車メーカーも危機感
を募らせている。

　米中のIT企業による世界覇権争いは、それだけITの重要
性が高いということを物語っている。さらに、電子よりも
小さい単位の量子力学を使った量子コンピューターの開発
が進んでおり、数年後には実用化されそうだ。開発を進め
るグーグルが2019年末、スーパーコンピューターが１万年
掛かる計算問題を３分20秒で解いた、と発表したように、
次世代技術として注目が集まる。このようにITの明るい未
来は、山陰地方をリボーンさせる大きな原動力になる。

▌松江をソフト産業の集積地（ソフトレイクシティー）に

　明確な意志と情熱の結晶が作り上げたアメリカのシリコ
ンバレーとまではいかなくても、島根県の松江市が東京・
渋谷のビットバレーのように、IT企業が集積する美しい宍

道湖畔の「ソフトレイクシティー」として伸びていく可能性は大きい。

　「ソフトレイクシティー」は私の造語だ。松江は、広い平野に恵まれているとは言いがたく、大型工場の立地には土地が問題。しかし、ソフトウエア企業には大きな土地は必要としない。起業だけではなく、大都市に本社を置くIT企業のサテライトオフィスがたくさん集積すれば、技術者やその家族、関連する業種の人々が集まる結果、活気があふれると考えている。

▍「やりゃ、できる！」

　「なせば成る、なさねば成らぬ何事も、成らぬは人のなさぬなりけり」

　江戸時代後期、米沢藩主の上杉鷹山が家臣に教訓として読み与えたとされる。どんなことでも、強い意志をもって行えば、必ず成功する。先人の教えは示唆に富む。
　現代人は、あまりにも目先のことに捉われすぎているように感じる。しかも失敗を恐れ、リスクのあるものには近づこうとしない。確かに、地震や豪雨に備えて堤防を高くするといったリスク除去への取り組みは大切だが、生きることに関しては、若さを武器に何事にも必死で挑戦すべき

だ。失敗はなにも恥ずかしいことではなく、また挑戦すればいい。私は「やりゃ、できる」という信念を持って挑戦してきた。

　東京の一極集中を分散しようと声高に叫ばれている今こそ、若者たちには島根にUIターンし、何かに挑戦してほしい。私自身、ちっぽけな人間だが、Uターンしてここまでやってこられた。多少は地域に貢献しているのではないかと自負している。今は活気のある太平洋側だが未来永劫、発展を続けるとは考えられない。かつては、日本海側が大陸との交流拠点だった。東アジアの国々が発展途上国から、成熟した国になれば、日本海側が再認識され、注目度がアップする。

　松江市は土地がないこともあり、出雲市のように製品、部品の大工場を誘致することは難しい。そうであれば、大きな土地は必要としないIT産業を集積させて、ソフトウエアの完成品制作に注力すべきだ。しかもIoTに挑むのが有望だと考える。

　世界は、インターネットを駆使した第4次産業革命に入りつつあるが、工場から生産される全ての製品は、インターネットでつながっているかどうかで価値が決まる時代が到来する。いくら高機能でも、ネットでつながらなければ評価されない。国内だけで通用する、かつての「ガラケー」と同じ運命をたどることになる。

米国、ドイツなどは、各社ばらばらで開発してきた異な
る規格を統一し、ラグビーのオールジャパンのように国家
を挙げて「ワンチーム」で進めようとしている。日本では、
家電メーカーの呼び掛けでようやく共同開発に向けた連合
組織が立ち上げられたばかりだ。

　最先端を見つめる企業は、①社内全体のIoTに対する標準
化への平均能力を高めること、②顧客が求めるIoTの製品仕
様にすること、③基礎部分を共通化して固定費削減などを
進めることの3つに重点を置いている。日本がIoTで後れを
取っていると言われる今こそ、IoTに挑戦するときだ。

　「官」から「民」へのシフトも進んできた。鳥取県では、
サケやマグロの養殖を民間企業の力で進めた。島根でも、
行政が全てを主導するという意識に変化の兆しがみえてき
た。山陰両県の主要企業への2020年新春アンケートによる
と、7割が先行きに危機感を持ち、経済の持続的発展に向
けては、「新産業の創出」「起業の増加」「先端技術による生
産性向上」の必要性がトップ3になっている。私が常々強
調し、実践している通りの集計結果といえ、次は後に続く
フロンティア精神にあふれた人たちの行動があるのみだ。

　民力を結集し、諦めないで「みんなで、やらこい（やろ
う）」。今からでも遅くはない。「ローマは一日にしてなら
ず」で、焦ることはない。ためらいや、悩みも必要ない。

もっとシンプルに、ポジティブに考えてほしい。小さな１人でも、束になれば、強靭だ。

　改めて呼び掛けたい。「悩むな！　諦めるな！　やりゃ、できる！」

オネストはこんな会社

〈会社概要〉

■社　名　株式会社オネスト
■代表者　石碕修二　代表取締役社長
　　　　　Made In Japan Software & Service コンソーシアム会員
　　　　　（一社）電子情報技術産業協会　会員
　　　　　（一社）中国地域ニュービジネス協議会　副会長（島
　　　　　　　　根支部長）
　　　　　島根経済同友会　常任幹事(IT社会推進委員会委員長)
　　　　　松江商工会議所　常議員(情報サービス部会副会長)
　　　　　（一社）島根県情報産業協会　理事
　　　　　山陰インド協会　常任理事
　　　　　早稲田大学校友会　商議員（松江稲門会会長）
■設　立　1995年4月20日
■資本金　4,000万円
■社員数　55名
■役　員　小林直志　常務取締役
　　　　　　　　　　システム製品営業本部　本部長
　　　　　山本修司　取締役
　　　　　　　　　　システム製品開発本部　本部長
　　　　　　　　　　兼コンプライアンスセキュリティ管理部長
　　　　　利弘　健　監査役　公認会計士・税理士
　　　　　錦織　澄　顧問　　公認会計士・税理士

■経営理念

　▽オネストは、お客様を大切にします

　▽オネストは、社員相互を理解し、尊重します

　▽オネストは、創意工夫のもとに、

　　より良いシステムの開発に努めます

　▽オネストは、独自の技術やサービスを活用できる

　　市場の開拓に注力します

　▽オネストは、適正利潤を追求します

　▽オネストは、各種法令を遵守します

　▽オネストは、グローバル社会に貢献します

■所在地

　▼本社・研究開発センター

　　〒690-0111　島根県松江市東出雲町意宇南 6 丁目 3 番地 1

　　TEL：0852-67-6175　　FAX：0852-67-6176

　▼東京オフィス

　　〒140-0013　東京都品川区南大井 3 丁目18番 7 号

　　　　　　　　HAM ONE　4 階

　　TEL：03-6436-8921　　FAX：03-6436-8922

■業務内容

　経営・業務コンサルティング

　パッケージソフトウエアの研究・開発

　ソフトウエアの受託開発（金融・製造・組込みソフト）

　システム導入支援　システム保守

■セールスパートナー
　株式会社日立ソリューションズ
　株式会社NTTデータ関西
　株式会社インテック
　リコージャパン株式会社
　ビジネスエンジニアリング株式会社
　富士通JAPAN株式会社

■テクニカルサービスパートナー
　ビジネスエンジニアリング株式会社
　株式会社日立製作所
　富士通株式会社
　株式会社日立ソリューションズ
　JBアドバンスト・テクノロジー株式会
　日本アイ・ビー・エム株式会社
　日本オラクル株式会社

■企業認定・提携
　特定労働者派遣事業者［特32-010025］認定
　IBM　ISVパートナー提携
　ｅ商買　オラクル認定製品
　ｅ商買　ECALGA認定
　ISO27001 認証取得

■ 受賞歴

地域未来牽引企業　選定

第10回中国地域ニュービジネス大賞　受賞

第4回日本IT経営大賞　日本商工会議所会頭賞受賞

■社会貢献

bjリーグ島根スサノオマジック　オフィシャルスポンサー

松江シティFC　オフィシャルスポンサー

■所属団体

メイド・イン・ジャパン・ソフトウェア＆サービス・コンソーシアム（MIJS）

（一社）電子情報技術産業協会（JEITA）

（一社）中国地域ニュービジネス協議会

（一社）島根県情報産業協会（SIIA）

島根経済同友会

松江商工会議所

■取引銀行

（株）山陰合同銀行

（株）みずほ銀行

（株）中国銀行

あとがき

　本書を執筆しはじめたのは2019年の新本社建設中でした。翌年の2020年2月に新型コロナウイルスが発生し、日本はもとより世界中がパンデミックの状態に陥りました。本書の中でも述べましたが、私が経営するオネストでもその対応に全力で当たりながら執筆致しました。

　起草のきっかけは、エフエム山陰社長（島根県松江市）の瀬崎輝幸さんに相談したことでした。「瀬崎さん、このままでは山陰経済はますます悪くなりますよね。産業構造の転換が必須だと思いますが」と申し上げたところ、瀬崎さんから「石碕さんのこれまでの活動を本に書かれたらいかがですか」とアドバイスをいただいたことから、この発刊プロジェクトはスタートしました。

　実績として十分でない私の事業活動ですが、節目に出会った人たちから力をいただきながらいくつもの難局を乗り越え、数少ないチャンスをものすることができたと思います。これから起業を目指す人たちに多少なりとも役立てば幸いです。

　最後になりましたが、上梓のきっかけをいただいたエフエム山陰の瀬崎さん、本書の企画、執筆、編集を手助けして下さったライターの榊原正之さん、山陰中央新報社の須田泰弘さんに心より感謝申し上げます。

《主な参考文献》

平成31年度商工労働行政の概要（島根県商工労働部、2019年）

山陰ハンドブック（日本政策投資銀行松江事務所、2019年）

学校の「当たり前をやめた。」（時事通信社、2018年）

地方消滅（中公新書、2014年）

技術と格闘した男　本田宗一郎（NHK取材班、1992年）

まど際OL　会社はいつもてんやわんや（新潮社、2005年）

スティーブ・ジョブズ（講談社、2011年）

フェイスブック若き天才の野望（日経BP社、2011年）

ネオIT革命（講談社、2000年）

数字で話せ（PHP研究所、2019年）

日本版インダストリー4・0の教科書（日経BP社、2016年）

2030年の世界地図帳（SBクリエイティブ、2019年）

プレジデント（プレジデント社、2019年5、11、12月）

山陰経済ウイークリー「山陰経済人録」（山陰中央新報社、2006年）

「％」が分からない大学生（光文社新書、2019年）

著者略歴

石碕　修二（いしざき・しゅうじ）
1954（昭和29）年、島根県出雲市生まれ。早稲田大学を卒業。富士通（本社・東京）、日立ソリューションズ西日本等でソフトウエア開発に従事した後、1995年に株式会社オネストを設立し、代表取締役社長に就任。2020年に創立25周年を迎え、26年間黒字経営を続けている。島根県松江市在住。趣味は囲碁、ゴルフ。

〈聞き書き〉

榊原　正之（さかきはら・まさゆき）
1951（昭和26）年、鳥取県琴浦町生まれ。早稲田大学を卒業後、山陰中央新報社に入社。出雲総局次長兼報道部長、本社編集委員（局次長職）などを歴任し、2011年に退職。現在、フリーライター。在籍中に担当した週刊「山陰経済ウイークリー」の連載企画「山陰経済人録」「さんいん企業物語」で、島根、鳥取両県の企業経営者約130人を取材。

地産外商
起業から成功へ突き進む「逆転」の発想

2021年7月1日　初版発行

著　　者　　石碕　修二
聞き書き　　榊原　正之
発 行 人　　松尾　倫男
編集・発行　　山陰中央新報社
　　　　　　　〒690-8668　島根県松江市殿町383
　　　　　　　TEL 0852-32-3420（出版部）
　　　　　　　FAX 0852-32-3535（同）
印　　刷　　今井印刷株式会社